Copyright, THE MACMILLAN COMPANY, 1966

t Printing

rary of Congress catalog card number: 66–11580

MACMILLAN COMPANY, NEW YORK
LIER-MACMILLAN CANADA, LTD., TORONTO, ONTARIO

ted in the United States of America

VALENTINE C. HUBBS

ROBERT L. KYES

The University of Michigan

# German in

BASED ON

SELECTED

LITERARY

TEXTS

THE MACMILLAN C[O

New York

COLLIER–MACMILLA[N

London

# Preface

One of the most difficult stages in the study of a foreign language is the transition from simple conversation to the higher level of sophistication demanded for reading. In most college German courses this transition is properly made in the third semester. At this stage the student must concentrate on developing his ability to read German, and, at the same time, he must continue to improve his command of the spoken language. In order to bridge the gap between the elementary conversational text and the reading of literature, a review grammar is needed that will not only build upon the mimetic skills developed in the student's elementary course, but will also take advantage of his adult capacity for analysis and understanding. The pattern drills in this grammar cover all of the grammatical peculiarities of German presented in this text. A student who has complete command of these drills has an unconscious knowledge of the German idiom. At the same time the student can also acquire through the grammatical analyses presented in the Appendix a consciousness of the German idiom that will greatly enhance his comprehension and contribute to the development of his reading and writing skills.

This text has been designed to require a minimum of class time and to fit into a normal fifteen-week semester. If the assignment of a lesson is made on the last day of each week for the last day of the following week, the student will have an entire week to prepare the lesson and to make his visits to the language laboratory. It is suggested that the student study the initial reading presented in each lesson, using the *Fragen* to test his understanding and knowledge of the text. These reading selections present a cross section of the kind of reading the student will encounter as he progresses in his language study. Next the student should master the *Mustersätze* and then he should study the grammar analysis in the Appendix. Finally he should go over the reading text once again before testing his knowledge of the lesson by doing the *Übungen*.

The pronunciation drill at the beginning of the book is intended to minimize the hazard of faulty pronunciation through faulty hearing—because most language laboratories are not monitored. By comparing similar but unidentical phonemes of English and German, the student's ear will be sharpened and become more acute to the proper placement and production of the German sounds. The drill concentrates only on those sounds which English-speaking students are apt to pronounce inadequately. Besides the pronunciation drill, the initial reading and all the *Mustersätze* of each lesson are recorded on the tapes that accompany the textbook. However, the textbook has been designed in such a way that the *Mustersätze* could be presented in class by the instructor without the need for tapes or electronic equipment.

The authors wish to express their gratitude to Dr. Karl Macho of the *Goethe Realschule* in Vienna, to Dr. Hermann J. Weiand of the *Staatliches Realgymnasium* in Dillingen, Saar, and to Professor Max Dufner of The University of Michigan for their kind suggestions.

V. C. H.

R. L. K.

# Pronunciation Exercises

The following taped exercises are designed to help the American student to improve his German pronunciation. The exercises concentrate on three problem areas: German sounds that are similar to but different from certain English sounds; German sounds that are similar to but distinctly different from one another; and German sounds that are unlike any of the sounds of English.

## VOWELS

German has a set of long vowels and a set of short vowels. The spelling of a word usually shows whether a vowel is long or short. The long i-sound is always spelled **ie**, while the short i-sound is spelled **i**. Other long vowels are often spelled with a double letter, or are followed by the letter **h**. The spelling of a consonant sound or sounds also indicates something about the preceding vowel: a single consonant letter usually indicates that the preceding vowel is long, while two or more consonant letters usually indicate that the preceding vowel is short. This is not always the case with words of one syllable, however.

Listen carefully to the long and short vowels in the following words and pronounce the words exactly as you hear them. Notice the differences in the spelling of short vowels and the corresponding long vowels.

| short | long | short | long |
|-------|------|-------|------|
| Stall | Stahl | still | Stiel |
| alle | Aale | bist | Biest |
| prallen | prahlen | in | ihn |
| Gasse | Gase | im | ihm |
| Ratten | raten | mitten | mieten |
| satt | Saat | bitten | bieten |
| Stadt | Staat | wissen | Wiesen |
| Bann | Bahn | binnen | Bienen |
| kann | Kahn | Bulle | Buhle |
| Kamm | kam | Fluß | Fuß |
| stellen | stehlen | Wonne | wohne |
| Bett | Beet | Tonne | Tone |
| wenn | wen | ob | ober |
| denn | den | Gotte | Gote |
| weg | Weg | Rosse | Rose |
| Fell | Fehl | ost | Ostern |
| Fenn | Feme | Guß | guseln |
| Senne | Sehne | muß | Mus |
| Herr | Heer | Butter | Bude |
| hell | hehl | spucken | spuken |

Are the following vowels long or short?

| | | | | | |
|------|------|-------|--------|--------|--------|
| ab | Feld | dich | kannte | Witwe | samt |
| von | ob | Puff | hohl | fahl | bald |
| an | Ofen | Hexe | Boot | Vater | Vetter |
| sieben | fiel | fallen | Mitte | Hut | Mutter |
| Ball | Griff | hoffen | Futter | Fuge | Dogge |
| Kante | Tee | Idee | Gott | Gote | Gruß |

# DIPHTHONGS

There are three diphthongs in German, spelled **ei** (also **ai**, and rarely **ay**, **ey**), **au**, and **eu** (also **äu**). These resemble the diphthongs of the English words **buy, plow, boy,** but are shorter. Listen to the following pairs of English and German words. Notice the difference in pronunciation of the corresponding diphthongs.

| English | German | English | German |
|---------|--------|---------|--------|
| *nine* | nein | *fire* | Feier |
| *fine* | fein | *mire* | Meyer |
| *my* | Mai | *Rhine* | Rhein |
| *rice* | Reis | *dine* | dein |
| *by* | bei | *flies* | Fleiß |
| *loin* | Leun | *coil* | Keule |
| *boil* | Beule | *foist* | Fäuste |
| *noise* | neu | *moist* | Mäuse |
| *house* | Haus | *louse* | Laus |
| *mouse* | Maus | *brown* | braun |
| *gown* | Gauner | *bow* | Bau |
| *sow* | Sau | *loud* | laut |

# Ö AND Ü

These vowels have no approximate equivalent in English. To produce the sound **Ö** try to utter the German word **Sehne** while keeping your lips pursed. To produce the sound **Ü** try to pronounce the German word **Tier** while keeping your lips pursed. Practice the following exercise carefully.

| | | |
|---|---|---|
| Sohn | Sehne | Söhne |
| boshaft | Besen | böse |
| los | lest | löst |
| hohl | hehl | Höhle |
| Horen | Heeren | hören |
| fordern | Fährde | fördern |
| Forst | Ferse | Förster |
| Tour | Tier | Tür |

| Stuhl | Stiel | Stühle |
|-------|-------|--------|
| Krug | Krieg | Krüge |
| Mutter | mitten | Mütter |

ö and ü may be long or short:

| Hölle | Höhle | Hütte | Hüte |
|-------|-------|-------|------|
| können | tönen | Mütter | müde |

# CONSONANTS

## B and D

**b** and **d** are pronounced with the voice just as in English. At the end of a word or syllable and before **t** or **s** they are unvoiced like the English *p* and *t*.

| Voiced | Unvoiced | Voiced | Unvoiced |
|--------|----------|--------|----------|
| Butter | ab | Decke | sind |
| besuchen | Abt | Ding | Geld |
| verbrauchen | lebst | Druck | Hand |
| Diebe | Dieb | Stade | Stadt |

## CH

The sound indicated by **ch** is produced by the friction of air passing between the tongue and the roof of the mouth. The correct tongue position can be found by whispering the first sound of the English word *human*.

There is a little more friction in German than in English and the point of the friction varies slightly, depending upon the vowel which precedes. After **a, o, u,** and **au,** the point of friction is further back in the mouth than after the vowels **i, e, ä, ö, ü, äu, ei,** and **eu.**

| Back | Forward | Back | Forward |
|------|---------|------|---------|
| Loch | Licht | Buch | Bücher |
| lachen | lächeln | brauchen | Gebräuche |
| rauchen | geräuchert | ach | leicht |
| Bucht | Pech | Schach | recht |
| Tochter | Töchter | roch | riechen |
| auch | leuchten | Kuchen | Seuche |

## G

The sound represented by **g** is similar to English. When it is final in a word or syllable, or before **t** or **s**, it is pronounced like a **k**. In the suffix **–ig** at the very end of a word, it is pronounced like a **ch**. Compare the following:

| | | | |
|---|---|---|---|
| Tag | Tage | lügst | lügen |
| Berg | Berge | tags | Tage |
| Zug | Zuge | König | Könige |
| gelegt | gelegen | bissig | bissige |

## NG

**ng** is pronounced like the final sound in the English word *thing*.

| English | German |
|---|---|
| *linger* | gelingen |
| *finger* | Finger |

## QU

**qu** is pronounced like the English *kv*:

| | | | |
|---|---|---|---|
| Quelle | Qual | Qualm | quer |

## R

The uvular **r** (pronounced by vibrating the uvula against the raised back part of the tongue) is probably used more frequently by German speakers than the dental **r** (produced by trilling the tongue behind the upper teeth). Both are acceptable.

| Dental | Uvular |
|---|---|
| Rolle | Rolle |
| greifen | greifen |
| freundlich | freundlich |

After a vowel, the **r** is not trilled at all. It is really a vowel, pronounced by moving the back of the tongue downward and backward:

| | | |
|---|---|---|
| Werk | stark | karg |
| Bord | wirken | Wort |

## S

When it is initial in a syllable, or when it is between vowels, the s is voiced like the English *z:*

| | | |
|---|---|---|
| sagen | Riese | Reise |
| Rose | sehen | Mäuse |
| Hosen | leise | Nase |

When s is final in a word or syllable, or before consonants ending a syllable, it is voiceless. Compare:

| *Voiced* | *Voiceless* |
|---|---|
| Rasen | Rast |
| Hase | Gast |
| Rose | los |
| Reise | Reis |
| besuchen | beste |

When s is initial in a word or syllable and precedes **t** or **p**, it is pronounced like the English *sh:*

| | | | |
|---|---|---|---|
| Stein | Stadt | spät | Spargel |

## V

**v** is like English *f* except in some foreign words. Compare:

| *Like English F* | | *Like English V* | |
|---|---|---|---|
| Vater | Vogel | November | Veteran |
| viel | Viertel | Universität | Vestibül |

## W

**w** is pronounced like English *v:*

| | | | |
|---|---|---|---|
| Winter | Wiese | Weg | Wasser |

## Z

**z** is pronounced like *ts* as in *tsetse fly:*

| | |
|---|---|
| Herz | Zimmer |
| zu | Zug |
| | die Zähne zu zeigen |

The following German words are preceded by a word in English that resembles the German word in pronunciation. *Note the difference* between the two and practice the German word which will be said twice:

| English | German | English | German |
|---------|--------|---------|--------|
| *heart* | Hart | *Dick* | dick |
| *park* | Park | *fish* | Fisch |
| *garden* | Garten | *kin* | Kinn |
| *car* | Karre | *mitten* | mitten |
| *blot* | Blatt | *grill* | Grille |
| *mare* | mehr | *guilt* | gilt |
| *bear* | Bär | *Nick's* | Nichts |
| | | *middle* | Mittel |
| *gain* | gehen | *list* | List |
| *lane* | Lehn | *finger* | Finger |
| *gay* | geh | *ring* | Ring |
| *vain* | wen | | |
| *fail* | fehl | *teller* | Teller |
| | | *hell* | hell |
| *hear* | hier | *fell* | Fell |
| *fear* | vier | *quell* | Quelle |
| *sheer* | schier | *nest* | Nest |
| *beer* | Bier | *guest* | Gäste |
| *brief* | Brief | | |
| *fee* | Vieh | *house* | Haus |
| | | *mouse* | Maus |
| *fine* | fein | *brown* | braun |
| *rice* | Reis | *sow* | Sau |
| *by* | bei | | |
| *fire* | Feier | *boat* | Boot |
| *mire* | Meyer | *coat* | Kot |
| *Rhine* | Rhein | *gross* | groß |
| *dine* | dein | *note* | Not |
| *flies* | Fleiß | | |
| | | *roof* | Ruf |
| *wrote* | rot | *noodle* | Nudel |
| *Morgan* | Morgen | | |
| *rock* | Rock | | |
| *auto* | Auto | | |
| *bock* | Bock | | |
| *lock* | lock | | |
| *dollar* | Dollar | | |

Note the pronunciation of the following foreign words:

| | | |
|---|---|---|
| Präsident | Transportation | Universität |
| Dirigent | Interpunktion | Majorität |
| Student | Pension | Qualität |
| Korrespondent | Direktion | Antiquität |
| Bibliothek | Apparat | |
| Kartothek | | |

# Contents

Preface          iii

*Pronunciation Exercises*       v

I. AUS **Wenn der Krieg noch zwei Jahre dauert**     1
     HERMANN HESSE

WORTSCHATZ /3
FRAGEN /3
MUSTERSÄTZE /4
ÜBUNGEN /6

II. AUS **Der Jäger Gracchus**      9
     FRANZ KAFKA

WORTSCHATZ /11
FRAGEN /12
MUSTERSÄTZE /13
ÜBUNGEN /15

### III. AUS *Der Diebstahl*
HEINZ RISSE

17

WORTSCHATZ /20
FRAGEN /21
MUSTERSÄTZE /21
ÜBUNGEN /24


### IV. AUS *Abschiedssouper*
ARTHUR SCHNITZLER

27

WORTSCHATZ /29
FRAGEN /30
MUSTERSÄTZE /31
ÜBUNGEN /33


### V. AUS *Narziß und Goldmund*
HERMANN HESSE

37

WORTSCHATZ /38
FRAGEN /40
MUSTERSÄTZE /41
ÜBUNGEN /43


### VI. AUS *Die unsichtbare Flagge*
PETER BAMM

45

WORTSCHATZ /48
FRAGEN /49
MUSTERSÄTZE /50
ÜBUNGEN /52


### VII. AUS *Der Jüngling aus dem Meer*
HANS ERICH NOSSACK

55

WORTSCHATZ /56
FRAGEN /57
MUSTERSÄTZE /57
ÜBUNGEN /60

VIII. AUS *Frieden* 63
ERNST GLAESER

WORTSCHATZ /65
FRAGEN /66
MUSTERSÄTZE /67
ÜBUNGEN /69

IX. AUS *Die heilige Cäcilie* 73
HEINRICH VON KLEIST

WORTSCHATZ /74
FRAGEN /75
MUSTERSÄTZE /75
ÜBUNGEN /78

X. AUS *Schachnovelle* 83
STEFAN ZWEIG

WORTSCHATZ /85
FRAGEN /86
MUSTERSÄTZE /87
ÜBUNGEN /89

XI. AUS *Was heißt und zu welchem Ende studiert man Universalgeschichte?* 93
FRIEDRICH SCHILLER

WORTSCHATZ /96
FRAGEN /98
MUSTERSÄTZE /99
ÜBUNGEN /101

XII. AUS *Tristan* 105
THOMAS MANN

WORTSCHATZ /107
FRAGEN /109

MUSTERSÄTZE /109
ÜBUNGEN /112

XIII. AUS *Pupsik* 115
WERNER BERGENGRUEN

WORTSCHATZ /117
FRAGEN /118
MUSTERSÄTZE /119
ÜBUNGEN /121

XIV. AUS *Die Fremde* 123
ARTHUR SCHNITZLER

WORTSCHATZ /125
FRAGEN /126
MUSTERSÄTZE /127
ÜBUNGEN /129

XV. AUS *Die Jungfrau als Ritter* 133
GOTTFRIED KELLER

WORTSCHATZ /134
FRAGEN /136
MUSTERSÄTZE /136
ÜBUNGEN /138

*Grammatical Appendix* 141

I. VERBS: principal parts, present tense, imperative, intensifying adverbs 141
II. VERBS: past, present perfect, and past perfect tenses 150
III. VERBS: future and future perfect tenses, irregular weak verbs, **kennen** and **wissen**, **nämlich** 154
IV. VERBS: modals, the double infinitive, **lassen**, **sehen**, **hören**, reflexive verbs 158
V. VERBS: compound verbs, impersonal use of verbs, **schon** 165

VI. VERBS: the passive voice, substitutes for the passive voice 168

VII. VERBS: subjunctive mood, conditional, wishes, **als ob** clauses 171

VIII. VERBS: indirect discourse, commands, suggestions 177

IX. VERBS: word order, extended modifiers 181

X. Definite and indefinite articles, use of cases, plural of nouns, weak nouns 190

XI. PRONOUNS: **ein-** and **der**-words as pronouns, forms of pronouns 200

XII. ADJECTIVES: **ein-** and **der**-words, adjective endings, adjective nouns, cases with adjectives 206

XIII. Comparison of adjectives and adverbs, equality and difference 212

XIV. Prepositions, adverbial prepositional compounds 217

XV. The comma, infinitive phrases, participial phrases, miscellaneous 226

*Addenda* 233

*German-English Vocabulary* 247

*Index* 267

# LESSON I.

VERBS
*Principal parts,
present tense,
imperative, intensi-
fying adverbs*

AUS **Wenn der Krieg noch
zwei Jahre dauert**

## HERMANN HESSE

Ein Beamter stand vor mir und musterte mich. „Können Sie
nicht strammstehen?" fragte er streng. Ich sagte: „Nein." Er
fragte: „Warum nicht?" „Ich habe es nicht gelernt", sagte
ich schüchtern.

„Also Sie sind dabei festgenommen worden, wie Sie ohne     5
Erlaubnisschein spazierengegangen sind. Geben Sie das zu?"

„Ja", sagte ich, „das stimmt wohl. Ich hatte es nicht gewußt.
Sehen Sie, ich war längere Zeit krank —"

Er winkte ab. „Sie werden dadurch bestraft, daß Ihnen für
drei Tage das Gehen in Schuhen untersagt wird. Ziehen Sie     10
Ihre Schuhe aus!"

Ich zog meine Schuhe aus.

„Mensch!" rief der Beamte da entsetzt. „Mensch, Sie tragen
ja Lederschuhe! Woher haben Sie die? Sind Sie denn völlig
verrückt?"     15

From *Gesammelte Schriften*, Vol. II (Frankfurt am Main: Suhrkamp Verlag,
1958). Reprinted by permission of the publisher.

1

*Hermann Hesse*    1877–1962
NOBELPREIS FÜR LITERATUR 1946

„Ich bin geistig vielleicht nicht völlig normal, ich kann das selbst nicht genau beurteilen. Die Schuhe habe ich früher einmal gekauft."

„Ja, wissen Sie nicht, daß das Tragen von Leder in jedweder Form den Zivilpersonen schon seit vielen Jahren verboten   20 ist? — Ihre Schuhe bleiben hier, die werden beschlagnahmt. Zeigen Sie übrigens doch einmal Ihre Ausweispapiere!"

Lieber Gott, ich hatte keine.

„Das ist mir doch seit einem Jahre nimmer vorgekommen!" stöhnte der Beamte und rief einen Schutzmann herein.   25 „Bringen Sie den Mann ins Amt Nummer 194, Zimmer 8!"

## WORTSCHATZ

**ab-winken** to make a gesture of refusal or rejection
**das Amt, ∸er** bureau, office
**die Ausweispapiere** identity papers
**aus-ziehen, o, o** to take off, remove
**der Beamte, −n, −n** public official
**beschlagnahmen** to confiscate
**bestrafen** to punish
**beurteilen** to judge
**entsetzt** horrified
**der Erlaubnisschein, −e** permit
**fest-nehmen, a, o, (i)** to arrest
**geistig** mentally
**genau** exact, accurate

**herein-rufen, ie, u** to call in
**jedweder** any
**der Lederschuh, −e** leather shoe
**mustern** to examine critically
**der Schutzmann, −leute** policeman
**stöhnen** to groan
**stramm-stehen, a, a** to stand at attention
**streng** stern
**übrigens** by the way
**untersagen** to forbid
**verrückt** crazy
**völlig** completely
**vor-kommen, a, o (sein)** to happen
**zu-geben, a, e, (i)** to admit

## FRAGEN

1. Wer stand vor dem Manne und musterte ihn?
2. Was machte der Beamte?
3. Was fragte der Beamte?

4. Warum konnte der Mann nicht strammstehen?
5. Warum ist der Mann festgenommen worden?
6. Was gibt der Mann zu?
7. Warum hatte er es nicht gewußt?
8. Was hatte er nicht gewußt?
9. Wer war längere Zeit krank?
10. Wie wird der Mann bestraft?
11. Was wird dem Mann untersagt?
12. Warum war der Beamte entsetzt?
13. Was ist den Zivilpersonen schon seit vielen Jahren verboten?
14. Warum werden die Schuhe des Mannes beschlagnahmt?
15. Was hat der Mann nicht zeigen können?
16. Was ist dem Beamten seit einem Jahr nimmer vorgekommen?
17. Wen rief der Beamte herein?
18. Was sollte der Schutzmann tun?
19. Wohin sollte der Schutzmann den Mann bringen?

# MUSTERSÄTZE

The following sentences are recorded on tape. Listen to the tape until you have learned to reproduce each sentence. After they have been mastered, write them out and check them for accuracy by listening to the tape again. Study Lesson I of the Grammatical Appendix. The numbers and letters in parentheses refer to the section of the Appendix where the grammar is analyzed.

(I, C, 4)

1. **Geben Sie das zu?**
   A. Do you admit that?
   B. Do we admit that?
   C. Does he admit that?
   D. Do they admit that?

2. **Ist es wahr, daß Sie das zugeben?**
   A. Is it true that you are admitting that?
   B. Is it true that we are admitting that?

    c. Is it true that he is admitting that?

    d. Is it true that they are admitting that?

(I, D, 2)

3. **Ihre Schuhe bleiben hier.**
   A. Your shoes will remain here.
   B. Why will your shoes remain here?
   c. How long will your shoes remain here?

4. **Ich zeige Ihnen die Ausweispapiere.**
   A. I will show you the identity papers.
   B. I will show you the leather shoes.
   c. I will wear the leather shoes.
   D. They will wear the leather shoes.

(I, D, 3 and I, E)

5. **Das Tragen von Leder ist schon lange verboten.**
   A. The wearing of leather has been forbidden for a long time.
   B. The wearing of leather has been permitted for a long time.
   c. The wearing of leather has been popular for a long time.
   D. It has been popular for years.

6. **Sie wohnt schon lange in dieser Stadt.**
   A. She has been living in this city for a long time.
   B. She has been living in this city for many years.
   c. They have been living here since January.

(I, F, 1, 2, 3, 4, 5)

7. **Ziehen Sie Ihre Schuhe aus!**
   A. Take off your shoes.
   B. Show me your license.
   c. Call a policeman.
   D. Give him his shoes.

8. **Zieh deine Schuhe aus!**
   A. Take off your shoes.
   B. Show me your license.

C. Call a policeman.
D. Give him his shoes.

(I, D, 2)

9. **Sie bringen ihn morgen ins Amt Nummer 8.**
   A. They are taking him to bureau number 8 tomorrow.
   B. We will take him home tomorrow.
   C. When will they take him home?
   D. How will they take him home tomorrow?

(I, B, 4)

10. **Er fährt morgen in die Stadt.**
   A. He will drive to town tomorrow.
   B. She will help us tomorrow.
   C. He will wear his leather shoes tomorrow.

(I, G, 1, 2)

11. **Sind Sie denn völlig verrückt?**
   A. Why, are you completely crazy?
   B. Why, is he completely crazy?
   C. Why, what are you doing there?
   D. Why, how is that possible?

12. **Zeigen Sie doch einmal Ihre Ausweispapiere!**
   A. Just show me your identity papers.
   B. Just show him your identity papers.
   C. Just show us your identity papers.

# Ü B U N G E N

**I.** Give the principal parts of these verbs:

gehen, sitzen, reisen, streiten, lügen, heben, riechen, biegen, rufen, heißen, beißen, tun, nehmen, ziehen, saugen, schaffen, weichen, wiegen, gewinnen, essen, wachsen, befehlen, verzeihen, stoßen, bitten, bieten, fliehen, lassen, haben, werden, sein

**II.** Give the present infinitives of the following verbs:

biß, zog, tritt, genommen, saß, stieß, läßt, gewesen, geworden, hieß, ißt, rief, lebte, gefragt, geschaffen, gewichen, wog, befiehlt, hob, tat, sog, wuchs, gestritten

**III.** Give the present tense third person singular:

gehen, werden, werfen, fahren, tragen, essen, geben, tun, sein, schlagen, schlafen, stehen, erschrecken, warten, grüßen, finden, lesen, befehlen, öffnen, sehen, nehmen, haben, treffen, segnen, stoßen, legen, halten, antworten

**IV.** Give the three imperative forms:

gehen, werden, werfen, fahren, tragen, essen, geben, tun, sein, schlafen, stehen

**V.** Supply the present form for the verbs in parentheses:

1. Er (sehen) das Mädchen. 2. Das Brot (essen) wir gern. 3. Lederschuhe (tragen) die Dame. 4. Seit drei Stunden (warten) er schon. 5. Er (befehlen) ihm, still zu sein. 6. (Grüßen) du ihn jeden Tag? 7. Den Ball (werfen) wir weit. 8. Das (tun) er jeden Tag. 9. Er (schlafen) immer sehr lange. 10. Er (werden) sehr reich.

**VI.** Render into German:

1. Is he coming? 2. Does he write many letters? 3. Do you eat meat? 4. Are they going already? 5. They are sitting in the park. 6. We do write letters. 7. He always sleeps late. 8. He is getting old. 9. She has been living here for two years. 10. He has been sleeping for a long time.

**VII.** Render into English:

1. Er fährt morgen in die Stadt. 2. Sie reisen nächste Woche nach Deutschland. 3. Er trägt schon lange Lederschuhe. 4. Haben Sie einen Erlaubnisschein? 5. Schreiben Sie den Brief an Ihren Vater?

6. Setzen Sie sich einmal auf den Stuhl! 7. Er wollte es dir geben,
und das hat er denn auch getan. 8. Ziehen Sie Ihre Schuhe aus?
9. Zeigen Sie ihm Ihre Ausweispapiere? 10. Die Schuhe werden
morgen beschlagnahmt. 11. Wohnt sie schon lange in dieser Stadt?
12. Sie wohnt schon seit drei Jahren in dieser Stadt. 13. Ziehen Sie
Ihre Schuhe aus! 14. Rufen Sie einen Schutzmann! 15. Er bleibt
nicht lange.

# LESSON II.

VERBS
*Past, present
perfect, and past
perfect tenses*

AUS  *Der Jäger Gracchus*

FRANZ KAFKA

Der Herr trat zur Bahre, legte eine Hand dem Daliegenden
auf die Stirn, kniete dann nieder und betete. Der Bootsführer
winkte den Trägern, das Zimmer zu verlassen, sie gingen
hinaus, vertrieben die Knaben, die sich draußen angesammelt
hatten, und schlossen die Tür. Dem Herrn schien aber auch 5
diese Stille noch nicht zu genügen, er sàh den Bootsführer an,
dieser verstand und ging durch eine Seitentür ins Nebenzimmer. Sofort schlug der Mann auf der Bahre die Augen auf,
wandte schmerzlich lächelnd das Gesicht dem Herrn zu und
sagte: „Wer bist du?" — Der Herr erhob sich ohne weiteres 10
Staunen aus seiner knieenden Stellung und antwortete: „Der
Bürgermeister von Riva."

Der Mann auf der Bahre nickte, zeigte mit schwach aus-
gestrecktem Arm auf einen Sessel und sagte, nachdem der
Bürgermeister seiner Einladung gefolgt war: „Ich wußte es 15

9

Inter Nationes

*Franz Kafka*     1883–1924

ja, Herr Bürgermeister, aber im ersten Augenblick habe ich
immer alles vergessen, alles geht mir in der Runde und es ist
besser, ich frage, auch wenn ich alles weiß. Auch Sie wissen
wahrscheinlich, daß ich der Jäger Gracchus bin."

„Gewiß", sagte der Bürgermeister. „Sie wurden mir heute 20
in der Nacht angekündigt. Wir schliefen längst. Da rief gegen
Mitternacht meine Frau: ‚Salvatore', — so heiße ich — ‚sieh
die Taube am Fenster!' Es war wirklich eine Taube, aber groß
wie ein Hahn. Sie flog zu meinem Ohr und sagte: ‚Morgen
kommt der tote Jäger Gracchus, empfange ihn im Namen der 25
Stadt'."

Der Jäger nickte und zog die Zungenspitze zwischen den
Lippen durch: „Ja, die Tauben fliegen vor mir her. Glauben
Sie aber, Herr Bürgermeister, daß ich in Riva bleiben soll?"

„Das kann ich noch nicht sagen", antwortete der Bürger- 30
meister. „Sind Sie tot?"

„Ja", sagte der Jäger, „wie Sie sehen. Vor vielen Jahren, es
müssen aber ungemein viel Jahre sein, stürzte ich im Schwarzwald — das ist in Deutschland — von einem Felsen, als ich
eine Gemse verfolgte. Seitdem bin ich tot." 35

# WORTSCHATZ

**an-kündigen**  to announce
**sich an-sammeln**  to gather, to as-
    semble
**an-sehen, a, e, (ie)**  to look at
**auf-schlagen, u, a, (ä)**  to open
**der Augenblick, –e**  moment
**aus-strecken**  to stretch out, to ex-
    tend
**die Bahre, –n**  bier, stretcher
**beten**  to pray
**der Bootsführer, –**  boatman
**der Bürgermeister, –**  mayor

**der Daliegende, –n, –n**  the one
    lying there
    **da** = there; **liegen** = to lie
**dieser**  the latter
**draußen**  outside
**durch-ziehen, o, o**  to pass through
    **zog die Zungenspitze zwischen
    den Lippen durch**  he licked
    his lips
**die Einladung, –en**  invitation
**empfangen, i, a, (ä)**  to receive
**sich erheben, o, o**  to get up

der Fels, –en, –en   rock, cliff
fliegen, o, o (sein)   to fly
die Gemse, –n   chamois
genügen   to satisfy, to suffice
gewiß   certainly
der Hahn, ⁀e   rooster
der Jäger, –   hunter
lächelnd   smiling
das Nebenzimmer, –   adjoining
   room
nicken   to nod
nieder-knien   to kneel down
die Runde, –n   circle
   alles geht mir in der Runde
   everything is spinning around
   me
scheinen, ie, ie   to seem
schließen, o, o   to close
schmerzlich   sadly, painfully
schwach   weak
der Schwarzwald   Black Forest
die Seitentür, –en   side door
der Sessel, –   chair, armchair
sofort   immediately
das Staunen   amazement, surprise

die Stellung, –en   position
die Stille   quiet, calm
die Stirn, –en   forehead, brow
stürzen (sein)   to fall
die Taube, –n   dove
der Träger, –   bearer
treten, a, e (sein), er tritt   to
   step, to walk
ungemein   unusual, uncommon
   ungemein viel   very many
verfolgen   follow, pursue
verlassen, ie, a (ä)   to leave
vertreiben, ie, ie   to disperse
vor vielen Jahren   many years ago
wahrscheinlich   probably
weiter   further
winken   to make a sign, give a
   signal
wirklich   really
zeigen   to show
die Zungenspitze, –n   tip of the
   tongue
zu-wenden, wandte zu, zugewandt
   to turn toward

# FRAGEN

1. Was machte der Herr, nachdem er eine Hand dem Daliegenden auf die Stirn gelegt hatte?
2. Wer ging hinaus?
3. Wer hatte sich draußen angesammelt?
4. Was schien dem Herrn noch nicht zu genügen?
5. Was machte der Mann auf der Bahre, nachdem der Bootsführer ins Nebenzimmer gegangen war?
6. Wer wandte dem Herrn das Gesicht zu?
7. Wer hat den Besuch des Jägers in der Nacht angekündigt?
8. Was ist dem Jäger vor vielen Jahren geschehen?

9. Von wo ist der Jäger im Schwarzwald gestürzt?
10. Wer ist der Herr, der mit dem Jäger spricht?
11. In welchem Lande liegt der Schwarzwald?
12. Was ist merkwürdig in dieser Geschichte?

# MUSTERSÄTZE

The following sentences are recorded on tape. By listening to the tapes over and over again, study the sentences until you can reproduce them. After the sentences have been mastered, write them out and check them for accuracy by listening to the tape again. Study Lesson II of the Grammatical Appendix.

(II, A, 2 and B, 1)

1. **Er kniete nieder und betete.**
   A. He knelt down and prayed.
   B. They knelt down and prayed.
   C. You knelt down and prayed.
   D. She knelt down and prayed.

2. **Er stürzte von einem Felsen, als er ein Tier verfolgte.**
   A. He fell from a cliff as he was pursuing an animal.
   B. They fell from a cliff as they were pursuing an animal.
   C. We fell from a cliff as we were pursuing an animal.
   D. The hunter fell from a cliff as he was pursuing an animal.

3. **Er sah den Bootsführer an.**
   A. He was looking at the boatman.
   B. She was looking at the boatman.
   C. They were looking at the boatman.
   D. The boatman was looking at him.

(II, D, 2)

4. **Hast du den Bootsführer angesehen?**
   A. Did you look at the boatman?

    B. Did he look at the boatman?
    C. Did the boatman look at us?
    D. Didn't you look at the boatman?

5. **Ist er in Riva geblieben?**
    A. Did he stay in Riva?
    B. Did they stay in Riva?
    C. How long did they stay in Riva?
    D. When did they stay in Riva?

6. **Ich habe alles vergessen.**
    A. I have forgotten everything.
    B. I did forget everything.
    C. I forgot everything.
    D. Did you forget everything?

(II, B, 3)

7. **Wir schliefen längst.**
    A. We had been sleeping for a long time.
    B. We had been sleeping for two hours.
    C. They had been waiting for an hour.
    D. She had been sitting at the table for a long time.

(II, E)

8. **Sie war ihm gefolgt.**
    A. She had followed him.
    B. We had fallen asleep.
    C. They had come early.
    D. He had suddenly disappeared.

9. **Der Jäger war nach Riva gekommen.**
    A. The hunter had come to Riva.
    B. Why had the hunter come to Riva?
    C. The doves had flown ahead of him.
    D. The boatman had disappeared through a side door.

10. **Die Knaben hatten sich draußen gesammelt.**
    A. The boys had gathered outside.
    B. When had the boys gathered outside?
    C. He had opened his eyes.
    D. He had forgotten everything.

## Ü B U N G E N

**I.** Give the past tense forms of the following:

gehen, leben, sitzen, nehmen, heißen, bieten, beten, antworten, ziehen, öffnen, schließen, wachsen, laufen, saugen, lesen, halten, studieren, werden, reisen, bitten

**II.** Give the present perfect, third person singular:

sitzen, bleiben, streiten, halten, studieren, reisen, werden, lesen, saugen, antworten, beten, bieten, bitten, ziehen, schließen, rufen, laufen

**III.** Give the verbs in part II in the past perfect, third person singular.

**IV.** Supply the past tense forms:

1. Er (bleiben) hier. 2. Sie (*she*) (essen) viel. 3. Wir (gehen) nach Hause. 4. Ihr (finden) das Buch. 5. (Reisen) Sie nach Amerika? 6. Er (laufen) zu schnell. 7. Wie alt (sein) er? 8. Er (zeigen) uns sein Haus. 9. Die Blumen (wachsen) schnell. 10. Die Blumen (riechen) gut. 11. Der Wagen (wiegen) viel.

**V.** Do Part IV in the present perfect and in the past perfect.

**VI.** Render into German:

1. Did he do it? 2. Is he coming? 3. How long had he known that? 4. He was running fast. 5. He had been sleeping for an hour. Then

his wife called. 6. He has forgotten everything. 7. He knelt down and prayed. 8. What did you say? 9. He had traveled to town. 10. How long did he stay there? 11. He was working when (*als*) I entered the room. 12. How long had he been waiting?

**VII.** Render into English:

1. Der Herr trat zur Bahre. 2. Er winkte den Trägern, das Zimmer zu verlassen. 3. Er vertrieb die Knaben, die sich draußen angesammelt hatten. 4. Er hat die Tür geschlossen. 5. Er wartete schon zwei Stunden, als seine Frau endlich kam. 6. Meine Frau hat mich gegen Mitternacht angerufen. 7. Er ist durch eine Seitentür ins Nebenzimmer gegangen. 8. Vor vielen Jahren bin ich von einem Felsen gestürzt. 9. Er legte eine Hand dem Daliegenden auf die Stirn. 10. Sie wurden mir heute in der Nacht angekündigt. 11. Er war von einem Felsen gestürzt. 12. Er hatte es schon gewußt.

# LESSON III.

VERBS
*Future and future*
*perfect tenses,*
*irregular weak*
*verbs,* kennen *and*
wissen, nämlich

AUS   *Der Diebstahl*

HEINZ RISSE

Das Mädchen öffnete die Tür; ein fremder Herr stand
davor und zog den Hut. Ausländer, dachte das Mädchen.
„Sie wünschen?" fragte das Mädchen.
„Ich möchte Herrn Nissing sprechen", erwiderte der Fremde.
„Er wohnt doch hier, nicht wahr?" Dabei machte er eine   5
Handbewegung — es ist nämlich kein Schild hier, mochte sie
bedeuten.
„Ja", sagte das Mädchen, „Herr Nissing wohnt hier. Aber Sie
können ihn nicht sprechen."
„Ich kann ihn nicht sprechen?" fragte der Herr; er machte ein   10
bestürztes Gesicht. „Herr Nissing ist doch nicht tot? Er wird
verreist sein, wie?" Das Mädchen lächelte verlegen.
„Nein", erwiderte sie. „Herr Nissing ist weder tot noch ver-
reist. Er badet gerade."
„Aber", rief der fremde Herr in offenbar aufrichtiger Freude,   15

From *Buchhalter Gottes* by Heinz Risse (Munich: Albert Langen-Georg
Müller Verlag, 1958). Reprinted by permission of the publisher.

17

*Heinz Risse* 1898–
IMMERMANN–PREIS DER STADT DÜSSELDORF 1957

„aber das ändert ja alles. Ich werde warten, bis Herr Nissing sein Bad beendet haben wird. In sein Büro werde ich mich setzen, es ist doch gleich hier rechts die erste Tür, nicht wahr, mein kleines Fräulein?" Der Herr betrat den Flur, das Mädchen wich ein wenig zur Seite.  20
„Sie scheinen das Haus gut zu kennen?" sagte sie.
„Gut?" erwiderte der Herr. „Ausgezeichnet . . . sagen Sie ausgezeichnet — ich war dabei, als es von Herrn Nissings Vater gebaut wurde . . . Sie dürften zu jener Zeit noch nicht ins Leben getreten sein, wie man zu sagen pflegt."  25
„Nein", sagte das Mädchen, „ich war damals noch nicht geboren."
„Interessant", antwortete der Herr und öffnete die Tür zu dem Büro. „Ja — und nun gehen Sie an Ihre Arbeit — Sie werden doch zu arbeiten haben, wie? Meinen Hut hängen Sie an die  30
Garderobe, ja?"
Das Mädchen nahm den Hut: „Es wird vielleicht einige Zeit dauern", sagte sie, „bis Herr Nissing herunterkommen wird. Er ist vor wenigen Minuten ins Badezimmer gegangen."
„Einige Zeit?" rief der Herr und hob wie ein Betender die  35
Arme. „Was ist das: einige Zeit? Wie wenig mag das sein, mein Kind? Und wenn es Stunden wären oder Tage . . . ich habe Herrn Nissing seit mehr als dreißig Jahren nicht gesehen." Das Mädchen schüttelte den Kopf.
„So lange ist das her?" fragte sie. „Ich werde Ihren Hut fort-  40
bringen." Sie schloß die Tür hinter sich und ging.
Der fremde Herr betrachtete das Zimmer, in dem er sich befand, alles beim alten, stillgesetzte Zeit. Er sah den Schreibtisch an, die mittlere Schublade, damals war die Rosette lose gewesen, sie hatte geklappert, als er den Schlüssel umdrehte;  45
das war nun dreiunddreißig Jahre und vier Monate her, sonderbar wie die Dinge sich wiederholen, ohne daß einer sie rufen müßte, der Herr fand plötzlich, daß er den Schlüssel wiederum in der Hand hielt und im Schloß drehte, aber heute wollte er doch nichts tun, was nach Heimlichkeit verlangte, nur alles  50
gestehen. Offen und klar.

# WORTSCHATZ

ändern   to change
an-sehen, a, e, (ie)   to look at
aufrichtig   sincere
ausgezeichnet   very well
der Ausländer, –   foreigner
baden   to take a bath
   das Bad, ̈er   bath
das Badezimmer, –   bathroom
bauen   to build
bedeuten   to mean, signify
beenden   to finish
sich befinden, a, u   to be
bestürzt   dismayed
beten   to pray
   ein Betender   a person praying
betrachten   to look at, regard
betreten, a, e, (i)   to step into,
   enter
bis   until
das Büro, –s   office
dabei   at the same time, thereby
damals   at that time, then
dauern   to last (time)
der Diebstahl, ̈e   theft
drehen   to turn
erwidern   to reply
der Flur, –e   hall, vestibule
fort-bringen, brachte fort, fortgebracht   to take away
der Fremde, –n, –n   stranger
die Garderobe, –n   wardrobe
gerade   at the present time, now
gestehen, gestand, gestanden   to
   confess
heben, o, o   to raise
die Heimlichkeit, –en   secrecy

her: so lange ist das her   it is that
   long ago
herunter-kommen, a, o (sein)   to
   come down
hinter sich   behind her
der Hut, ̈e   hat
klappern   to rattle
lächeln   to smile
lose   loose
mittlere   middle
offenbar   apparently
pflegen   to be accustomed to
die Rosette, –n   rosette
rufen, ie, u   to exclaim, to call
scheinen, ie, ie   to seem
das Schild, –er   nameplate, sign
das Schloß, –sses, ̈sser   lock
der Schlüssel, –   key
der Schreibtisch, –e   desk
die Schublade, –n   drawer
schütteln   to shake
sonderbar   strange
stillgesetzt: beim alten, stillgesetzte Zeit   as in the old
   days, just as if time had stood
   still
treten: ins Leben treten   to be
   born
verlangen (nach)   to demand,
   require
verlegen   ill at ease
verreist   away on a trip
weder . . . noch   neither . . .
   nor
weichen, i, i (sein)   to step back
   or aside, to yield

**sich wiederholen**   to be repeated     **zu jener Zeit**   at that time
**wiederum**   again     **ziehen: er zog den Hut**   he took
**die Zeit, –en: einige Zeit**   some     off his hat
    time

## F R A G E N

1. Wer hat die Tür geöffnet?
2. Wer stand vor der Tür?
3. Was wollte der Fremde?
4. Warum kann er Herrn Nissing nicht sprechen?
5. Ist Herr Nissing tot oder verreist?
6. Wie lange wird der Fremde warten?
7. Wo wird der Fremde sich hinsetzen?
8. Wo befindet sich das Büro?
9. Woher weiß der Fremde, wo das Büro sich befindet?
10. Was findet der Fremde interessant?
11. Wohin wird das Mädchen den Hut hängen?
12. Warum wird es einige Zeit dauern, bis Herr Nissing herunterkommt?
13. Wann hat denn der Fremde Herrn Nissing zum letzten Mal gesehen?
14. Was hielt der Fremde plötzlich in der Hand?
15. Was hatte der Fremde vor dreißig Jahren getan?

## M U S T E R S Ä T Z E
(*Study Lesson III in the Grammatical Appendix.*)

(I, D, 2)

1. **Ich setze mich an den Tisch.**
   A. I'll sit down at the table.
   B. He'll sit down at the table.
   C. When will we sit down at the table?
   D. Tomorrow we'll sit down at this table.

(III, A and B, 1)

2. **Ich werde mich an den Tisch setzen.**
   A. I'll sit down at the table.
   B. He'll sit down at the table.
   C. We'll sit down at the table.
   D. She'll sit down at the table.

3. **Ich werde warten, bis Herr Nissing herunterkommt.**
   A. I'll wait until Mr. Nissing comes down.
   B. He'll wait until Mr. Nissing comes down.
   C. Will you wait until he comes down?
   D. How long will you wait for Mr. Nissing?

4. **Es wird vielleicht einige Zeit dauern, bis er herunterkommt.**
   A. It will perhaps be some time until he comes down.
   B. It will perhaps be ten minutes until he comes down.
   C. It will perhaps be an hour until they come down.
   D. It will be at least ten minutes until she comes down.

5. **Sie werden ihn nicht sprechen können.**
   A. You will not be able to speak to him.
   B. She will not be able to speak to him.
   C. Won't he be able to speak to him?
   D. They will not be able to see him.

(III, B, 2)

6. **Sie werden wohl zu arbeiten haben.**
   A. You probably have some work to do.
   B. She probably has some work to do.
   C. He probably has some work to do.
   D. We probably have some work to do.

7. **Sie wird wohl neugierig sein.**
   A. She is probably curious.

B. He is probably on a trip.

C. She is probably on a trip.

D. He is probably sick.

(III, C and D)

8. **Ich werde warten, bis Herr Nissing sein Bad beendet haben wird.**

    A. I'll wait until Mr. Nissing has finished his bath.

    B. She'll wait until they have finished their bath.

    C. We'll wait until she has finished her bath.

    D. They'll wait until we have finished our bath.

(III, C and D, 2)

9. **Es wird ihn wohl überrascht haben.**

    A. It probably surprised him.

    B. We probably surprised her.

    C. They probably saw her.

    D. It probably rained yesterday.

(III, E, 3)

10. **Sie hat seinen Hut fortgebracht.**

    A. She took away his hat.

    B. She will take away his hat.

    C. She was taking away his hat.

    D. She probably took away his hat.

(III, F)

11. **Ich kenne Herrn Nissing und weiß, daß er Deutsch kann.**

    A. I know Mr. Nissing, and I know that he knows German.

    B. She knows Mr. Nissing, and she knows that he knows German.

    C. We know Mr. Nissing, and we know that he knows German.

    D. We know them, and we know that they know German.

(III, G)

12. **Er ist nämlich verreist.**
  A. He is on a trip, you see.
  B. He is dead, you see.
  C. There is no nameplate here, you see.
  D. I am Mr. Nissing, you see.

## Ü B U N G E N

**I.** Give the perfect infinitive:

gehen, singen, wissen, bleiben, kommen, sein, werden, arbeiten, denken, bringen, kennen, rennen, wenden

**II.** Restate in the future tense:

1. Ich gehe morgen in die Stadt. 2. Das Mädchen öffnete die Tür. 3. Sie können ihn nicht sprechen. 4. Er machte ein bestürztes Gesicht. 5. Ich setze mich in sein Büro.

**III.** Change to the future perfect:

1. Es wird ihn wohl überraschen. 2. Sie wird wohl neugierig sein. 3. Sie wartet in seinem Büro. 4. Sie hat seinen Hut fortgebracht. 5. Ausländer, dachte das Mädchen.

**IV. kennen** or **wissen:**

1. Wir _____ Herrn Nissing sehr gut. 2. Ich habe nicht _____, daß Herr Nissing verheiratet ist. 3. _____ Sie, ob er morgen kommen wird? 4. Diese Stadt _____ ich ziemlich gut. 5. _____ Sie, ob er Herrn Nissing _____?

**V.** Render into English:

1. Sie werden ihn nicht sprechen können. 2. Sie wird ihn wohl gesehen haben. 3. Die Oper wird wohl sehr schön gewesen sein. 4. Er wird wohl verreist sein. 5. Sie wird wohl zu arbeiten haben.

**VI.** Render into German:

1. They will probably wait in his office. 2. He will not be able to see him. 3. Do you know if Mr. Nissing lives here? 4. We know Mr. Nissing and we know that he knows German. 5. We'll wait until she has finished her bath. 6. You seem to know the house very well. 7. He is neither traveling nor deceased. 8. There is no sign here, you see. 9. It probably surprised him. 10. She took away his hat.

*Arthur Schnitzler*     *1862–1931*

# LESSON IV.

VERBS

*Modals, the double
infinitive*, lassen,
sehen, hören,
*reflexive verbs*

A U S   *Abschiedssouper*

## A R T H U R   S C H N I T Z L E R

ANNIE:  Oh — guten Abend!
ANATOL:  Guten Abend, Annie! . . . Entschuldige —
ANNIE:  Auf dich kann man sich verlassen! (Sie wirft den
Regenmantel ab.) — Ich schaue mich nach allen Seiten um
— rechts — links — niemand da —                                    5
ANATOL:  — Du hast ja glücklicherweise nicht weit herüber!
ANNIE:  Man hält sein Wort! — Guten Abend, Max! — (zu
Anatol) Na — auftragen lassen hättest du unterdessen schon
können . . .
ANATOL:  (umarmt sie).                                             10
ANNIE:  Also . . . also . . . essen — (Der Kellner klopft.)
Herein! — Heut klopft er — Sonst fällt ihm das nicht ein!
(Der Kellner tritt ein.)
ANATOL:  Servieren Sie! — (Kellner ab.)

---

*Abschiedssouper* from the cycle *Anatol* by Arthur Schnitzler, *Gesammelte
Werke. Die Dramatischen Werke I*, © 1962 S. Fischer Verlag, Frankfurt am
Main.

**27**

15  ANNIE:   Du warst heut nicht drin — ?
    ANATOL:   Nein — ich mußte — —
    ANNIE:   Du hast nicht viel versäumt! — Es war heut alles so
    schläfrig . . .
    MAX:   Die Oper soll heute abend sehr schön gewesen sein.
20  ANNIE:   Ich weiß nicht . . . (Man setzt sich zu Tische.)
    . . . Ich kam in meine Garderobe — dann auf die Bühne —
    gekümmert hab' ich mich um nichts . . . um nichts! . . .
    Im übrigen hab' ich dir was zu sagen, Anatol!
    ANATOL:   So, mein liebes Kind? . . . Was sehr Wichtiges — ?
25  ANNIE:   Ja, ziemlich! . . . Es wird dich vielleicht über-
    raschen. (Der Kellner trägt auf.)
    ANATOL:   Da bin ich wirklich sehr neugierig! Auch ich . . .
    ANNIE:   Na . . . warte nur . . . für den da ist das nichts —
    ANATOL:   (zum Kellner) Gehen Sie . . . wir werden klin-
30  geln! (Kellner ab.) . . . Na, also . . .
    ANNIE:   — Ja . . . mein lieber Anatol . . . es wird dich
    überraschen . . . Warum übrigens! Es wird dich gar nicht
    überraschen — es darf dich nicht einmal überraschen . . .
    MAX:   Gage-Erhöhung?
35  ANATOL:   Unterbrich sie doch nicht . . . !
    ANNIE:   Nicht wahr — lieber Anatol . . . Du sag', sind das
    Ostender oder Whitestable?
    ANATOL:   Jetzt redet sie wieder von den Austern! Ostender
    sind es!
40  ANNIE:   Ich dachte es . . . Ach, ich schwärme für Austern
    . . . Das ist doch eigentlich das einzige, was man täglich
    essen kann!
    MAX:   Kann?! — Sollte!! Muß!
    ANNIE:   Nicht wahr! Ich sag's ja!
45  ANATOL:   Du wolltest mir ja was sehr Wichtiges mitteilen — ?
    ANNIE:   Ja . . . wichtig ist es allerdings — sogar sehr! — Erin-
    nerst du dich an eine gewisse Bemerkung?
    ANATOL:   Welche — welche? Ich kann doch nicht wissen,
    welche Bemerkung du meinst!
50  MAX:   Da hat er recht!

ANNIE: Nun, ich meine die folgende . . . Warte . . . wie
war sie nur — Annie, sagtest du . . . wir wollen uns nie
betrügen . . .

ANATOL: Ja . . . ja . . . nun!

ANNIE: Anatol, du mußt deine Austern weiter essen . . .   55
sonst red' ich nichts . . . gar nichts!

ANATOL: Du sollst reden . . . ich vertrage diese Art von
Späßen nicht!

ANNIE: Nun — es war ja abgemacht, daß wir's uns ganz ruhig
sagen sollten, — wenn es einmal dazu kommt . . . Und nun   60
kommt es eben dazu —

ANATOL: Das heißt?

ANNIE: Das heißt: daß ich heute leider das letztemal mit dir
esse! Es ist aus zwischen uns. Es muß aus sein . . .

# WORTSCHATZ

**ab-machen** to agree upon

**das Abschiedssouper, –s** farewell supper

**ab-werfen, a, o, (i)** to throw off

**allerdings** to be sure

**die Art, –en** kind, type, sort

**auf-tragen, u, a, (ä)** to serve

**aus: es ist aus** it is all over

**die Auster, –n** oyster

**die Bemerkung, –en** remark

**betrügen, o, o** to deceive

**die Bühne, –n** stage

**denken, dachte, gedacht** to think

**drin = darin** inside (i.e., at the opera)

**eigentlich** actually, really

**ein-fallen, ie, a, (ä) (sein)** to occur to, to think of

**ein-treten, a, e, (i) (sein)** to enter

**einzig** only, sole

**das einzige** the only thing

**entschuldigen** to excuse

**sich erinnern (an)** to remember

**die Gage-Erhöhung, –en** raise in salary

**die Garderobe, –n** dressing room

**gewiß** particular, certain

**glücklicherweise** fortunately

**halten, ie, a, (ä)** to keep

**heißen, ie, ei: das heißt** that is (means)

**klingeln** to ring

**klopfen** to knock

**sich kümmern (um)** to concern oneself (with), to worry (about)

**links** to the left

**mit-teilen** to tell, relate

**na** well

neugierig  curious
niemand  no one
die Oper, –n  opera
Ostender  from Ostende in Bel-
gium (cf. Maine lobster)
recht haben  to be right
rechts  to the right
reden  to speak
der Regenmantel, ⸚  raincoat
schläfrig  slow, lethargic
schwärmen (für)  to be wild
(about)
die Seite, –n  side
sogar  even
sonst  otherwise, usually
der Spaß, ⸚sse  joke, fun
täglich  daily
überraschen  to surprise

im übrigen  by the way
umarmen  to embrace
sich um-schauen  to look around
unterbrechen, a, o, (i)  to interrupt
unterdessen  in the meantime
sich verlassen (auf), ie, a, (ä)  to
rely (upon)
versäumen  to miss
vertragen, u, a, (ä)  to endure, to
put up with
vielleicht  perhaps
warten  to wait
weiter-essen  to continue to eat
Whitestable  English oyster
wichtig  important
ziemlich  rather

# FRAGEN

1. Warum will sich Anatol entschuldigen, als Annie ins Restau-
rant kommt?
2. Warum hat sich Annie nach allen Seiten umschauen müssen?
3. Was hätte Anatol unterdessen schon machen können?
4. Was fällt dem Kellner sonst nicht ein?
5. Was sagt Max von der Oper?
6. Wieso weiß es Annie nicht?
7. Was wird Anatol vielleicht überraschen?
8. Warum muß der Kellner gehen?
9. Was für Austern ißt Annie?
10. Wofür schwärmt Annie?
11. Was sagt Annie von den Austern?
12. Was war zwischen Anatol und Annie schon abgemacht?
13. Was hat Annie Anatol sagen wollen?

# M U S T E R S Ä T Z E
(*Study Lesson IV in the Grammatical Appendix.*)

(IV, A and B)

1. **Sie dürfen ihn jetzt sprechen.**
   A. You may speak to him now.
   B. May I speak to him now?
   C. You cannot speak to him now.
   D. You must speak to him now.

2. **Ich mag ihn jetzt nicht sprechen.**
   A. I do not care to speak to him now.
   B. When am I to speak to him?
   C. You are not to speak to him now.
   D. I do not want to speak to him now.

3. **Du solltest ihn eigentlich sprechen.**
   A. You really ought to speak to him.
   B. He was about to speak to him.
   C. She had to speak to him.
   D. They were not permitted to speak to him.

4. **Die Oper soll sehr schön gewesen sein.**
   A. The opera is said to have been very beautiful.
   B. The opera must have been very beautiful.
   C. The opera may have been very beautiful.
   D. The opera was probably very beautiful.

5. **Er will die Aufgabe schon gelöst haben.**
   A. He claims to have solved the problem already.
   B. He must have solved the problem already.
   C. He is said to have solved the problem already.
   D. When is he supposed to have solved the problem?

(IV, C)

6. **Das habe ich nicht gedurft.**
   A. I was not permitted to do that.
   B. I was not able to do that.
   C. I did not have to do that.
   D. I did not want to do that.

7. **Das habe ich nicht tun dürfen.**
   A. I was not permitted to do that.
   B. I was not able to do that.
   C. I did not have to do that.
   D. I did not want to do that.

(IV, D)

8. **Er hat sie kommen sehen.**
   A. He saw her coming.
   B. He heard her coming.
   C. He sent for her.
   D. When did he send for her?

(IV, E)

9. **Auf dich kann man sich verlassen.**
   A. One can rely on you.
   B. I can rely on you.
   C. She can rely on him.
   D. We can rely on them.

10. **Sie hat sich nach allen Seiten umgeschaut.**
    A. She looked all around.
    B. We looked all around.
    C. I looked all around.
    D. You looked all around.

11. **Erinnerst du dich an seine Bemerkung?**
    A. Do you remember his remark?

   B. Does she remember his remark?

   C. Does he remember his remark?

   D. Do they remember his remark?

(IV, D, 2)

12. **Ich habe mich gewaschen.**

   A. I washed myself.

   B. She washed herself.

   C. When did they wash themselves?

   D. We washed ourselves.

13. **Ich habe mir die Hände gewaschen.**

   A. I have washed my hands.

   B. She has washed her hands.

   C. They have washed their hands.

   D. We have washed our hands.

# Ü B U N G E N

   I. Give the third person singular of the present and past tenses:

mögen, werden, wissen, dürfen, werfen, können, sollen, wollen, müssen, fahren, tragen, sagen, geben

   II. Restate the following sentences, substituting modals for the boldface expressions:

1. **Hast** du **die Erlaubnis bekommen,** heute abend ins Kino zu gehen?
2. Ich **bin** leider nicht **imstande,** Sie heute abend zu besuchen.
3. Ich **verstehe** die russische Sprache nicht sehr gut.
4. Sie **ißt** Austern **gern.**
5. **Es ist unbedingt nötig,** daß du uns besuchst.
6. Ich **bin gezwungen,** heute in die Stadt zu gehen.
7. Ich **habe den Auftrag,** ihm zu helfen.
8. Man **ist verpflichtet,** sein Wort zu halten.

9. Ich **beabsichtige**, morgen in die Stadt zu fahren.
10. Ich **verlange** nichts von Ihnen.

**III.** Supply the proper form of the modal:

1. Er hat die Suppe nicht essen _____ (*care to*).
2. Die Oper _____ (*is alleged*) sehr schön gewesen sein.
3. Er hat nach Hause _____ (*müssen*).
4. Man _____ (*ought to*) sein Wort halten.
5. Der Kranke _____ (*was permitted*) keine Austern essen.
6. Er _____ (*can*) weder tot noch verreist sein.
7. Wir _____ (*may*) ihn morgen sprechen.
8. Ich _____ (*care to*) ihn jetzt nicht sprechen.
9. Er _____ (*was about to*) ihr eben etwas sagen.
10. Er _____ (*claims to*) die Aufgabe schon gelöst haben.

**IV.** Supply the proper reflexive pronoun (dative or accusative):

1. Du kannst _____ auf mich verlassen.
2. Sie hat _____ umgeschaut.
3. Ich habe _____ um nichts gekümmert.
4. Ich habe _____ ein Haus bauen lassen.
5. Wir erinnern _____ an den Tag.
6. Das kann ich _____ gar nicht vorstellen.
7. Beeilen Sie _____!
8. Du sollst _____ keine Sorgen machen.

**V.** Change to the present perfect:

1. Sie darf keine Austern essen. 2. Ich sehe ihn kommen. 3. Er ließ den Arzt rufen. 4. Will er sich darum gar nicht kümmern? 5. Sie können sich auf ihn verlassen.

**VI.** Render into English:

1. Müssen Sie ihn jetzt sprechen? 2. Du solltest nach Hause gehen. 3. Er wollte ihr eben etwas sagen. 4. Sie durften ihn nicht sehen. 5. Er will die Aufgabe schon gelöst haben. 6. Das hat man nicht

tun dürfen. 7. Das hat man nicht gewollt. 8. Er hat den Kaffee nicht trinken können. 9. Auf dich kann man sich verlassen. 10. Wir haben uns nach allen Seiten umgeschaut. 11. Wer nicht kann, was er will, muß wollen, was er kann.

**VII.** Render into German:

1. You should not speak to him. 2. When am I to speak to him? 3. The opera must have been very beautiful. 4. I didn't want that. 5. He did not want to drink the coffee. 6. Can I rely on you? 7. I have often heard him singing. 8. I had looked all around. 9. Does she remember a certain remark? 10. They have washed their hands.

# LESSON V.

VERBS
*Compound verbs,*
*impersonal use of*
*verbs,* schon

AUS  *Narziß und Goldmund*

## HERMANN HESSE

Und nun begab es sich, daß ein neues Gesicht im Kloster
erschien, das so viele Gesichter kommen und gehen sah, und
daß dies neue Gesicht nicht zu den unbemerkten und schnell
wieder vergessenen gehörte. Es war ein Jüngling, der, schon
vorlängst von seinem Vater angemeldet, an einem Frühlings-     5
tage eintraf, um in der Klosterschule zu studieren. Beim Kastanienbaum banden sie ihre Pferde an, der Jüngling und sein
Vater, und aus dem Portal kam der Pförtner ihnen entgegen.

Der Knabe blickte an dem noch winterkahlen Baum empor.
„Einen solchen Baum", sagte er, „habe ich noch nie gesehen.   10
Ein schöner, merkwürdiger Baum! Ich möchte wohl wissen,
wie er heißt."

Der Vater, ein ältlicher Herr, mit einem versorgten und
etwas verkniffenen Gesicht, kümmerte sich nicht um die
Worte des Jungen. Der Pförtner aber, dem der Knabe alsbald   15

From *Gesammelte Werke* (Frankfurt am Main: Suhrkamp Verlag, 1958).
Reprinted by permission of the publisher.

wohlgefiel, gab ihm Auskunft. Der Jüngling dankte ihm
freundlich, gab ihm die Hand und sagte: „Ich heiße Goldmund und soll hier zur Schule gehen." Freundlich lächelte
der Mann ihn an und ging den Ankömmlingen voran durchs
20 Portal und die breiten Steintreppen hinauf, und Goldmund
betrat das Kloster ohne Zagen mit dem Gefühl, an diesem Ort
schon zwei Wesen begegnet zu sein, denen er Freund sein
konnte, dem Bàum und dem Pförtner.

Die Angekommenen wurden erst vom Pater Schulvorsteher,
25 gegen Abend auch noch vom Abt selbst empfangen. An beiden
Orten stellte der Vater, ein kaiserlicher Beamter, seinen Sohn
Goldmund vor, und man lud ihn ein, eine Weile Gast des
Hauses zu sein. Er machte jedoch nur für eine Nacht vom
Gastrecht Gebrauch und erklärte, morgen zurückreisen zu
30 müssen. Als Geschenk bot er dem Kloster das eine seiner
beiden Pferde an, und die Gabe ward angenommen. Die Unterhaltung mit den geistlichen Herren verlief artig und kühl;
aber sowohl der Abt wie der Pater blickte den ehrerbietig
schweigenden Goldmund mit Freude an, der hübsche zärtliche
35 Junge gefiel ihnen sogleich. Den Vater ließen sie andern
Tages ohne Bedauern wieder ziehen, den Sohn behielten sie
gerne da. Goldmund wurde den Lehrern vorgestellt und bekam
ein Bett im Schlafsaal der Schüler. Ehrerbietig und mit be-
trübtem Gesicht nahm er Abschied von seinem wegreitenden
40 Vater, stand und blickte ihm nach, bis er zwischen Kornhaus
und Mühle durch das enge Bogentor des äußeren Klosterhofes
verschwand. Eine Träne hing ihm an der langen blonden
Wimper, als er sich umwandte; da empfing ihn schon der
Pförtner mit einem liebkosenden Schlag auf die Schulter.

## WORTSCHATZ

der Abschied, –e departure, farewell
der Abt, ⸚e abbot

alsbald at once
ältlich elderly
an-bieten, o, o to offer

an-binden, a, u  to tie on, to tether
an-blicken  to look at
die Angekommenen  those who have arrived, the arrivals
der Ankömmling, –e  newcomer, stranger
an-lächeln  to smile at
an-melden  to notify, announce, register
an-nehmen, a, o, (i)  to accept
artig  civilly
die Auskunft  information
äußere  exterior
der Beamte, –n, –n  official
das Bedauern  regret
sich begeben, a, e, (i)  to happen, come to pass
begegnen (sein)  to meet
behalten, ie, a, (ä)  to keep
bekommen, a, o  to receive
betreten, a, e, (i)  to enter
betrübt  saddened
das Bogentor, –e  arched gate
breit  wide
ehrerbietig  deferential, respectful
ein-laden, u, a, (ä)  to invite
ein-treffen, a, o, (i) (sein)  to arrive
empfangen, i, a, (ä)  to receive
empor-blicken  to look up(ward)
eng  narrow
entgegen-kommen, a, o (sein)  to come toward, come to meet
erklären  to explain
erscheinen, ie, ie (sein)  to appear
erst  first
die Freude, –n  joy

freundlich  pleasantly, in a friendly manner
der Frühlingstag, –e  spring day
die Gabe, –n  gift
der Gast, ⁓e  guest
das Gastrecht  hospitality
der Gebrauch, ⁓e  use
geistlich  clerical
das Geschenk, –e  present, gift
hübsch  handsome
jedoch  however
der Jüngling, –e  youth, young man
kaiserlich  imperial
der Kastanienbaum, ⁓e  chestnut tree
das Kloster, ⁓  monastery
der Klosterhof, ⁓e  courtyard of a monastery
das Kornhaus, ⁓er  granary
sich kümmern (um)  to pay attention (to); to be concerned (with)
liebkosend  affectionate
merkwürdig  remarkable
die Mühle, –n  mill
nach-blicken  to gaze after
der Ort, –e  place
der Pater  Father (priest)
der Pförtner, –  gatekeeper
das Portal, –e  portal
der Schlafsaal, –säle  dormitory
der Schlag, ⁓e  pat, clap
der Schulvorsteher, –  school principal
schweigen, ie, ie  to be silent
sogleich  right away, at once
sowohl . . . wie  as well as
die Steintreppe, –n  stone steps

die Träne, –n   tear
sich umwenden, wandte sich um,
    umgewandt   to turn around
unbemerkt   unnoticed
die Unterhaltung, –en   conversation
verkniffen   pinched, grim
verlaufen, ie, au, (äu) (sein)   to pass, proceed
verschwinden, a, u (sein)   to disappear
versorgt   careworn
voran-gehen, i, a (sein)   to precede, to walk in front of

vorlängst   (archaic) well in advance, long ago
vor-stellen   to introduce
ward   was (poetic form of wurde)
weg-reiten, i, i (sein)   to ride away
das Wesen, –   being, creature
die Wimper, –n   eyelash
winterkahl   bare from the winter
das Zagen   hesitation
zärtlich   tender
ziehen, o, o (sein)   to leave, depart

# FRAGEN

1. Wer wurde schon längst von seinem Vater angemeldet?
2. Wann trafen der Jüngling und sein Vater ein?
3. Wer kam ihnen aus dem Portal entgegen?
4. Was sagte der Junge von dem Kastanienbaum?
5. Was möchte der Junge wissen?
6. Worum kümmerte sich der Vater nicht?
7. Wer gab dem Jungen Auskunft über den Baum?
8. Wie heißt der Junge und was soll er im Kloster?
9. Wem hat der Junge gut gefallen?
10. Wer ging voran, als sie durchs Portal gingen?
11. Wie lächelte der Pförtner den Jungen an?
12. Mit was für einem Gefühl betrat Goldmund das Kloster?
13. Wer waren die zwei Wesen, denen Goldmund Freund sein konnte?
14. Wann wurden die beiden Angekommenen vom Abt empfangen?
15. Wem stellte der Vater seinen Sohn vor?
16. Was bot der Vater dem Kloster als Geschenk an?
17. Hat man die Gabe angenommen?

18. Wie ist die Unterhaltung mit den geistlichen Herren verlaufen?
19. Wen haben sowohl der Abt wie der Pater mit Freude ange-
blickt?
20. Was machte Goldmund, als sein Vater wegritt?


# MUSTERSÄTZE

*(Study Lesson V in the Grammatical Appendix.)*

## (V, A, 2)

1. **Sie binden ihre Pferde an.**
   A. They tie their horses.
   B. They were tying their horses.
   C. Did they tie their horses?
   D. Will they tie their horses?

2. **Sie binden ihre Krawatte um.**
   A. They tie their ties.
   B. They were tying their ties.
   C. Did they tie their ties?
   D. Will they tie their ties?

3. **Der Mann lächelte den Jungen an.**
   A. The man smiled at the boy.
   B. Was the man smiling at the boy?
   C. The man was smiling at him.
   D. He smiled at the boy.

4. **Der Mann hat den Jungen angelächelt.**
   A. The man smiled at the boy.
   B. Did the man smile at the boy?
   C. The man smiled at him.
   D. He smiled at the boy.

5. **Hat er den Jungen eingeladen?**
   A. Did he invite the boy?

B. Did he smile at the boy?

C. Did he introduce the boy?

D. Did he register the boy?

6. **Der Pförtner kam dem Jungen entgegen.**
   A. The gatekeeper came to meet the boy.
   B. The gatekeeper preceded the boy.
   C. The gatekeeper gazed after the boy.
   D. The boy gazed after his father.

(V, A, 2 and III, B, 2)

7. **Er wird dem Jungen wohl vorangehen.**
   A. He will probably precede the boy.
   B. He will probably come to meet the boy.
   C. He will probably gaze after the boy.
   D. He will probably gaze after him.

8. **Der Junge hat ihm gefallen.**
   A. He liked the boy.
   B. The boy liked him.
   C. Did he like the boy?
   D. Did they like the boy?

9. **Der Junge gefällt mir.**
   A. I like the boy.
   B. Does he like the boy?
   C. The boy likes him.
   D. We like the boy.

(V, A, 3)

10. **Wissen Sie, ob er dem Jungen entgegenkommt?**
    A. Do you know if he will come to meet the boy?
    B. Do you know if he will precede the boy?
    C. Do you know if he will come to meet him?
    D. Do you know if they will come to meet him?

(V, C)

11. **Der Junge wird ihm schon gefallen.**
    A. He'll like the boy, all right.
    B. He'll come to meet him, all right.
    C. He'll help him, all right.
    D. He'll do it, all right.

# Ü B U N G E N

**I.** Restate in the present and past tenses:

1. Ein neues Gesicht wird im Kloster erscheinen.
2. Das neue Gesicht hatte nicht zu den unbemerkten und schnell wieder vergessenen gehört.
3. Er hatte die Musik im Kloster gehört.
4. Der Vater wird den Jungen anmelden.
5. Ein Jüngling ist an einem Frühlingstage eingetroffen.
6. Der Pförtner wird ihnen entgegenkommen.
7. Der Junge wird das Kloster betreten.
8. Der Mann hat ihn freundlich angelächelt.
9. Der Abt wird ihm alles erklären.
10. Man wird das Geschenk annehmen.

**II.** Begin each of the following sentences with the words: „**Weißt du, daß** . . .‟ and make the necessary changes in word order:

1. Der Vater stellte seinen Sohn vor.
2. Der Vater reiste am nächsten Tag zurück.
3. Der Pater blickte den schweigenden Goldmund mit Freude an.
4. Der Jüngling blickte an dem Baum empor.
5. Der Vater meldete den Jungen schon vorher an.

**III.** Give the principal parts:

anbieten, anbinden, anblicken, ankommen, anlächeln, anmelden, annehmen, begeben, begegnen, behalten, bekommen, betreten, danken, einladen, eintreffen, empfangen, emporblicken, erklären, erscheinen, hinaufgehen, sich kümmern, lassen, nachblicken, schweigen, sich umwenden, verlaufen, verschwinden, vorangehen, vorstellen, wegreiten, ziehen

**IV.** Use the following verbs in an original sentence:

anbieten, anlächeln, anmelden, sich begeben, begegnen, einladen, eintreffen, sich kümmern, sich umwenden, verlaufen, vorangehen, gefallen

**V.** Render into English:

1. Mir fehlt das nötige Geld dazu. 2. Der Junge gefällt mir. 3. In Deutschland gibt es viele Klöster. 4. Es sind viele Leute in diesem Theater. 5. Morgen regnet es in den Bergen.

**VI.** Supply the proper dative or accusative (See also Appendix XII):

1. Der Vater hat _____ (him) schon längst angemeldet.
2. Man hat _____ (the) Pferd angebunden.
3. Der Pförtner kam _____ (them) entgegen.
4. Der Jüngling dankte _____ (him) freundlich.
5. Der Junge gefiel _____ (him) gut.
6. Der Pförtner gab _____ (him) Auskunft.
7. Freundlich lächelte der Mann _____ (him) an.
8. Sie sind _____ (him) vorangegangen.
9. Sie gingen _____ (the) Treppe hinauf.
10. Der Vater stellte _____ (him) vor.
11. Er hat dem Kloster _____ (the) Pferd angeboten.
12. Man hat _____ (the) Gabe angenommen.
13. Er blickte _____ (him) mit Freude an.
14. Er stand und blickte _____ (the) Vater nach.
15. Der Pförtner empfing _____ (him) mit einem liebkosenden Schlag auf die Schulter.

# LESSON VI.

VERBS
*The passive voice,*
*substitutes for*
*the passive*

A U S    *Die unsichtbare Flagge*

## P E T E R   B A M M

Von dem Leben dieser Männer wußten wir nichts. Sie
danach zu fragen, hatten wir keine Zeit. Immer lagen einige
draußen und warteten darauf, auf den Operationstisch zu
kommen. Immer auch konnte ein neuer Transport mit bedroh-
lichen Fällen eintreffen, die man nicht warten lassen durfte.    5
Hatte dieser Mann eine Frau, die um ihn bangte? War er ein
Künstler, der der Welt noch etwas zu geben hatte? War er
ein Schurke, um den es — hätten wir sagen dürfen, um den es
nicht schade war? Ein jeder war ein Mensch, und ihm mußte
geholfen werden. Wir hatten keine Zeit, mitleidig zu sein.    10
Immer noch hockt der Chirurg auf seiner Kiste. Der Verwundete muß erst, soweit es für die Behandlung notwendig
ist, seiner Kleidung entledigt werden.

Das wurde, wenn es zu seiner Schonung erforderlich war,
mit der großen Kleiderschere gemacht. Stiefel wurden auf-    15

From *Roboter der Nächstenliebe* by Peter Bamm (Munich: Kösel-Verlag,
1952). Reprinted by permission of the publisher.

*Peter Bamm (Curt Emmrich)* 1897–

geschnitten. Im späteren Verlauf des Krieges kam einmal der Befehl, daß das Aufschneiden der Stiefel nach Möglichkeit zu vermeiden sei. Daß den Verwundeten mehr Schmerzen zuzufügen seien, wurde nicht ausdrücklich mitangeordnet. Schließlich wurde auch noch befohlen, daß die Toten ohne Stiefel zu begraben seien. Denkmäler für gefallene Soldaten sind niemals zu kostspielig. Die Würde des Todes auf dem Schlachtfeld war in diesem Kriege nicht einmal ein Paar Stiefel wert. 20

Das Entkleiden des Verwundeten machte Feldwebel Maier in seiner schnellen, energischen und männlich liebevollen Art. 25 Dazu hatte er eine unnachahmliche Manier, witzig-grobe Bemerkungen zu machen, die dem Verwundeten, eben ihrer Grobheit wegen, das beruhigende Gefühl vermittelten, daß es so schlimm um ihn nicht stehen könne.

Der Operationsgehilfe ordnet die frisch ausgekochten In- 30 strumente. Der Narkotiseur legt seine Narkosemaske zurecht. Der Internist des Hauptverbandplatzes sieht sich den Verwundeten daraufhin an, ob etwa eine Bluttransfusion erforderlich ist. Der Chirurg erhebt sich. Der Operationsgehilfe spannt ihm die innen gepuderten Gummihandschuhe auf. Mit einer 35 drehenden Bewegung fährt er hinein, erst in den rechten, dann in den linken. Dann zieht er beide Handschuhe straff. Das alles sieht der Verwundete. Wie mag ihm zumute sein? Diese Kerle in ihren Gummischürzen sehen wie die Fleischer aus. Auch weiß der Verwundete immer noch nicht, wer von ihnen 40 der Chirurg ist, der Mann der sein Leben „in der Hand hat."

Dann sieht sich der Chirurg den Verwundeten an.

„Wie alt sind Sie?"

„Wann sind Sie verwundet worden?"

„Wo sind Sie verwundet worden?" 45

Der Verband wird abgenommen. Die Wunde wird untersucht.

# WORTSCHATZ

ab-nehmen, a, o, (i)    to take off
sich an-sehen, a, e, (ie)    to inspect, look at
die Art, –en    manner, way
auf-schneiden, i, i    to cut open
auf-spannen    to stretch open
ausdrücklich    expressly
ausgekocht    sterilized
bangen (um)    to worry (about)
bedrohlich    threatening, critical
der Befehl, –e    order
befehlen, a, o, (ie)    to order, to command
begraben, u, a, (ä)    to bury
die Behandlung, –en    treatment
die Bemerkung, –en    remark
beruhigend    comforting
die Bewegung, –en    movement
der Chirurg, –en, –en    surgeon
daraufhin    for the purpose of
    daraufhin . . . ob    to see whether
das Denkmal, ⁼er    monument
drehen    to turn
einige    some, several
ein-treffen, a, o, (i) (sein)    to arrive
das Entkleiden    undressing
entledigen    to take off, strip
erforderlich    necessary, required
sich erheben, o, o    to get up
der Fall, ⁼e    case
der Feldwebel, –    sergeant
der Fleischer, –    butcher
gefallen    killed
gepudert    powdered

die Grobheit    coarseness
der Gummihandschuh, –e    rubber glove
die Gummischürze, –n    rubber apron, rubber gown
der Hauptverbandplatz, ⁼e    main dressing station
hinein-fahren, u, a, (ä) (sein)    to push (his hand) into
hocken    to squat
der Internist, –en, –en    specialist for internal disorders
der Kerl, –e    fellow, chap
die Kiste, –n    box, packing crate
die Kleiderschere, –n    clothing shears
die Kleidung, –en    clothing
kostspielig    expensive, costly
der Krieg, –e    war
der Künstler, –    artist
liebevoll    kindly
die Manier, –en    manner, way
männlich    masculine
mitan-ordnen    to order along with
mitleidig    sympathetic
die Möglichkeit, –en    possibility
    nach Möglichkeit    whenever possible
die Narkosemaske, –n    mask for administering anaesthetic
der Narkotiseur, –e    anaesthetist
notwendig    necessary
der Operationsgehilfe, –n, –n    assistant at an operation
ordnen    to arrange

schade: um den es nicht schade
   war  who wouldn't be much
   of a loss
das Schlachtfeld, –er  battlefield
schließlich  finally
schlimm  bad
der Schmerz, –en  pain
die Schonung  preservation
   zu seiner Schonung  for his
   comfort, to prevent him further pain
der Schurke, –n, –n  rascal, scoundrel
der Soldat, –en, –en  soldier
der Stiefel, –  boot
straff  tight
der Transport, –e  shipment

unnachahmlich  inimitable
untersuchen  to examine
der Verband, ⸚e  bandage
der Verlauf, ⸚e  course
vermeiden, ie, ie  to avoid
vermitteln  to communicate
der Verwundete, –n, –n  wounded
   soldier
witzig-grob  spiced with coarse
   humor
die Wunde, –n  wound
die Würde  dignity
zu-fügen  to inflict
zumute sein  to feel
zurecht-legen  to place in order,
   to arrange

# FRAGEN

1. Was wußten die Ärzte von dem Leben dieser Männer?
2. Warum fragten sie nicht danach?
3. Worauf warteten die Verwundeten?
4. Was konnte auch immer eintreffen?
5. Warum mußte jedem geholfen werden?
6. Wofür hatten die Ärzte keine Zeit?
7. Wie wurden die Verwundeten sehr oft entkleidet?
8. Welcher Befehl kam einmal im späteren Verlauf des Krieges?
9. Was wurde nicht ausdrücklich mitangeordnet?
10. Was wurde schließlich auch noch befohlen?
11. Wie hoch schätzte man die Würde des Todes?
12. Was ist niemals zu kostspielig?
13. Wer hat die Verwundeten entkleidet?
14. Wie hat er die Verwundeten entkleidet?
15. Was macht der Operationsgehilfe?
16. Was macht der Internist?

17. Was sieht der Verwundete?
18. Wie sehen die Ärzte in ihren Gummischürzen aus?
19. Was fragt der Chirurg den Verwundeten?
20. Was macht er, nachdem der Verband abgenommen worden ist?

## M U S T E R S Ä T Z E

(*Study Lesson VI in the Grammatical Appendix.*)

(VI, A)

1. **Die Wunde wird von dem Chirurgen untersucht.**
   A. The wound is inspected by the surgeon.
   B. The wound was inspected by the surgeon.
   C. The wound has been inspected by the surgeon.
   D. The wound will be inspected by the surgeon.

2. **Der Verband wird von dem Operationsgehilfen abgenommen.**
   A. The bandage is removed by the assistant.
   B. The bandage has been removed by the assistant.
   C. The bandage will be removed by the assistant.
   D. The bandage will have been removed by the assistant.

(VI, A and III, B, 2)

3. **Er wird wohl schon gestern verwundet worden sein.**
   A. He was probably wounded yesterday.
   B. His wound was probably inspected yesterday.
   C. He is probably wounded.
   D. His wound will probably be inspected today.

(VI, C)

4. **Ihm mußte geholfen werden.**
   A. He had to be helped.
   B. He must be helped.

    c. When will he be helped?
    d. By whom will he be helped?

(VI, A, 7)

5. **Das wurde mit der großen Schere gemacht.**
    a. That was done with the large shears.
    b. That is done with the large shears.
    c. That will be done with the large shears.
    d. That must be done with the large shears.

(VI, E, *d*)

6. **Das Aufschneiden der Stiefel ist zu vermeiden.**
    a. Cutting boots open must be avoided.
    b. Cutting boots open could not be avoided.
    c. Cutting boots open must be done with the shears.
    d. Cutting boots open could not be done with the shears.

(VI, E, *a, b, c*)

7. **Das läßt sich mit der Schere machen.**
    a. That can be done with the shears.
    b. That could be done with the shears.
    c. Why can't that be done with the shears?
    d. That cannot be avoided.

8. **Wissen Sie, ob sich das mit der Schere machen läßt?**
    a. Do you know if that can be done with the shears?
    b. Do you know if that can be done with the shears?
    c. Do you know if that can be done with the shears?
    d. Do you know if that can be done with the shears?

(VI, A, 3)

9. **Wissen Sie, wann er verwundet worden ist?**
    a. Do you know when he was wounded?
    b. Do you know where he was wounded?

C. Do you know if he was wounded?

D. Do you know if he was wounded badly?

(VI, D)

10. **Gestern wurde viel getrunken.**
   A. Yesterday there was a lot of drinking going on.
   B. Yesterday there was a lot of talking about him.
   C. There is too much talking here.
   D. There is not much talking here.

# ÜBUNGEN

I. Restate in the past, present perfect, future, and future perfect:

1. Der Verband wird abgenommen. 2. Die Wunde wird schlimmer.

II. Supply the missing word:

1. Ihm ist von dem Arzt geholfen _____.
2. Der Verband muß von dem Internisten abgenommen _____.
3. Das Aufschneiden der Stiefel _____ zu vermeiden.
4. Die Wunde ist schlimmer _____.
5. Wann sind Sie verwundet _____?

III. Change to the present perfect tense:

1. Die Stiefel wurden aufgeschnitten. 2. Das Entkleiden der Verwundeten machte Feldwebel Maier. 3. Die Wunde wird von dem Chirurgen untersucht. 4. Der Soldat wurde sehr krank. 5. Das läßt sich machen.

IV. Change to the passive voice:

1. Der Chirurg untersucht die Wunde. 2. Der Operationsgehilfe nahm den Verband ab. 3. Das läßt sich mit der großen Schere machen. 4. Der Arzt muß dem Menschen helfen. 5. Der Operationsgehilfe ordnet die frisch ausgekochten Instrumente. 6. Der

Narkotiseur hat seine Narkosemaske zurechtgelegt. 7. Das Entkleiden der Verwundeten machte Feldwebel Maier.

**V.** Render into English:

1. Die Tür schließt sich. 2. Das läßt sich machen. 3. Das Aufschneiden der Stiefel ist zu vermeiden. 4. Das Fenster ist geschlossen. 5. Das Fenster wird geschlossen. 6. Das Fenster war geschlossen. 7. Das Fenster war geschlossen worden. 8. Um wie viel Uhr wird hier aufgemacht? 9. Den Verband wird wohl der Internist abgenommen haben. 10. Der Verband wird wohl vom Internisten abgenommen worden sein. 11. Gestern abend wurde viel davon gesprochen. 12. In diesem Krankenhaus wird viel operiert. 13. Gestern ist viel getanzt worden. 14. Das Aufschneiden der Stiefel muß nach Möglichkeit vermieden werden. 15. Die frisch ausgekochten Instrumente sind von dem Operationsgehilfen geordnet worden.

**VI.** Render into German:

1. The wound is being inspected. 2. The window is closed already. 3. When will the doors be closed? 4. When were you wounded? 5. There was dancing last night. 6. Cutting boots open must be avoided (render two ways). 7. That can be done easily (render three ways).

**VII.** Render into German in the active voice:

1. I was told. 2. The door is being closed. 3. The instruments are arranged by the assistant. 4. That can be done. 5. That must be avoided.

*Hans Erich Nossack*     *1901–*

# LESSON VII.

AUS    *Der Jüngling aus dem Meer*

## HANS ERICH NOSSACK

Ich beobachtete den Jüngling heimlich. Er durfte es nicht
merken. Das konnte er nicht vertragen. Ich sprach weiter:
„Siehst du, da habe ich mich entschlossen, hierher zu
fahren. Es wird mir furchtbar schwer, dir das zu erklären. Ich
möchte nicht gern, daß du denkst, ich wollte meinen Geliebten    5
schlecht machen. Wenn du nur wüßtest, wie gern ich in dieser
Minute noch zu ihm zurückfahren möchte. Ja, mit dir zusammen. Du kannst mitkommen. Du würdest ihn sehr gern
mögen. Ihr würdet euch sofort verstehen.

„Du siehst ihm nämlich etwas ähnlich. Ein andrer würde    10
es vielleicht gar nicht sehen, aber ich sehe es. Du brauchst
deshalb nicht wegzublicken. Natürlich ist er älter, er hat Falten
im Gesicht und verkneift oft den Mund. Auch die Haare sind
anders, ja, es sind schon einige weiße darunter. Nicht viele.
Doch früher, ich meine vor dieser Zeit, ehe er Soldat wurde    15

---

From *Interview mit dem Tode* by Hans Erich Nossack (Frankfurt am Main:
Suhrkamp Verlag, 1948). Reprinted by permission of the publisher.

und alles zerstört wurde, und noch früher, wird er so ausgesehen haben wie du. Bestimmt.

    „Und manchmal sieht er auch heute noch so aus. Dann
. . . dann . . . Ist dir auch wirklich nich kalt? Wenn ich nur
20 gewußt hätte, daß ich dich hier treffen würde. Ich hätte noch
andre Sachen mitgebracht. So aber hab ich gar nichts für dich.

    „Ja, wie er da am Flügel saß, dachte er gar nicht an mich.
So angespannt war er mit seiner Sache beschäftigt. Ich wußte
aber genau, wie es kommen würde. Nach einiger Zeit würde
25 er sich zu mir setzen. Das heißt, nur wenn es ihm nicht gelänge,
das Stück zu Ende zu spielen. Er würde sich eine Zigarette
anzünden und so tun, als wenn nichts wäre. Ich würde es aber
doch merken. Nun gut, er würde sich mit mir unterhalten oder
auch sonst was.

30     „Er braucht mich nämlich gar nicht, das ist es. Du mußt
nicht erschrecken, doch man darf sich nichts vormachen. Natürlich kann ich ihm die Manschetten am Oberhemd umset-
zen. Und manchmal ist er auch müde, dann kommt er. Aber
wie er da am Flügel saß, war ich gar nicht für ihn auf der
35 Welt. Im Gegenteil, ich hätte ihn nur gestört."

## WORTSCHATZ

| | |
|---|---|
| **ähnlich**  similar | **furchtbar**  terribly |
| **anders**  different | **das Gegenteil: zum Gegenteil**  on |
| **angespannt**  tense |   the contrary |
| **an-zünden**  to light, ignite | **der Geliebte, –n, –n**  beloved, |
| **aus-sehen, a, e, (ie)**  to look like |   lover, fiancé |
| **beobachten**  to observe | **gelingen, a, u (sein)**  to succeed |
| **beschäftigt**  busy | **genau**  exactly |
| **brauchen**  to need | **das Haar, –e**  hair |
| **deshalb**  therefore, for that reason | **heimlich**  secretly |
| **sich entschließen, o, o**  to decide | **der Jüngling, –e**  youth |
| **erschrecken, a, o, (i) (sein)**  to | **die Manschette, –n**  cuff |
|   be frightened, startled | **das Meer, –e**  sea, ocean |
| **die Falte, –n**  wrinkle | **merken**  to notice |
| **der Flügel, –**  grand piano | **das Oberhemd, –en**  shirt |

die Sache, –n   thing
schlecht   bad
stören   to disturb
das Stück, –e   piece (of music)
treffen, a, o, (i)   to meet
um-setzen   to turn
sich unterhalten, ie, a, (ä)   to converse

verkneifen, i, i: den Mund ver-kneifen   to purse one's lips
vertragen, u, a, (ä)   to endure
sich vor-machen   to deceive one-self
weg-blicken   to look away
wirklich   really
zerstören   to destroy

# F R A G E N

1. Was durfte der Jüngling nicht merken?
2. Warum durfte er es nicht merken?
3. Was wird der Erzählerin furchtbar schwer?
4. Was möchte sie in dieser Minute tun?
5. Wen würde der Jüngling sehr gern mögen?
6. Was hat der Geliebte schon im Gesicht?
7. Was meint die Erzählerin, wenn sie sagt „vor dieser Zeit"?
8. Wie hat der Geliebte früher ausgesehen?
9. Was hätte die Erzählerin gebracht, wenn sie gewußt hätte, daß sie den Jüngling treffen würde?
10. An wen dachte der Geliebte nicht, wenn er am Flügel saß?
11. Was würde er nach einiger Zeit tun?
12. Wann setzte er sich zu ihr?
13. Was würde er tun, nachdem er sich eine Zigarette angezündet hatte?
14. Welche Arbeit machte die Erzählerin für ihren Geliebten?
15. Wann hätte die Erzählerin ihren Geliebten gestört?

# M U S T E R S Ä T Z E
(*Study Lesson VII of the Grammatical Appendix.*)

(VII, F)

1. **Wenn ich nur gewußt hätte, daß ich dich hier treffen würde.**
   A. If only I had known that I would meet you here.

    B. If only she had known that she would meet him here.

    C. If only we had known that we would not meet you here.

(VII, E, 6)

2. **Hätte ich nur gewußt, daß ich dich hier treffen würde.**

    A. Had I only known that I would meet you here.

    B. Had she only known that she would meet him here.

    C. Had we only known that we would not meet you here.

(VII, A, 4 and E)

3. **Wenn du ihn kenntest, hättest du ihn sehr gern.**

    A. If you knew him, you would like him very much.

    B. If you knew him well, you would like him very much.

    C. If he knew you well, he would like you very much.

    D. If she knew him well, she would like him very much.

(VII, E, 3)

4. **Wenn ich rauchen wollte, würde ich mir eine Zigarette an-
zünden.**

    A. If I wanted to smoke, I would light myself a cigarette.

    B. If she wanted to smoke, she would light herself a cigarette.

    C. If he wanted to play, he would sit down at the piano.

    D. If she wanted to eat, she would sit down at the table.

5. **Wäre das Problem nicht so schwierig, so würde ich es dir
erklären.**

    A. If the problem were not so difficult, I would explain it to you.

    B. If it were not so difficult, I would explain it to you.

    C. If it were possible, I would tell you.

    D. If it were possible, she would explain it to him.

(VII, E, 4)

6. **Ich hätte andere Sachen mitgebracht, wenn ich gewußt hätte,
daß ich dich treffen würde.**

    A. I would have brought along some other things if I had known
that I would meet you.

B. She would have brought along the food if she had known that she would meet you.

C. He would have brought along cigarettes if he had known that he would meet her.

7. **Wenn es ihm gelungen wäre, hätte er sich gefreut.**
   A. If he had succeeded, he would have been happy.
   B. If she had succeeded, she would have been happy.
   C. If I had succeeded, I would have been happy.
   D. If they had succeeded, they would have been happy.

(VII, E, 6)

8. **Wäre er nicht so beschäftigt gewesen, dann würde er es bemerkt haben.**
   A. Had he not been so busy, he would have noticed it.
   B. Had they not been so busy yesterday, they definitely would have noticed it.
   C. Had he been older, he definitely would have noticed it.
   D. Had he been younger, he definitely would not have noticed it.

9. **Wenn er fleißiger wäre, würde er größere Fortschritte machen können.**
   A. If he were more diligent, he would be able to make greater progress.
   B. If he were healthier, he would be able to eat everything.
   C. If he were more intelligent, he would be able to understand right away.

10. **Wenn es keinen Krieg gegeben hätte, wäre nichts zerstört worden.**
   A. If there had been no war, nothing would have been destroyed.
   B. If there had been no war, the house would not have been destroyed.
   C. If there had been no money, the house would not have been built.

(VII, G, 1)

11. **Er tat, als ob er spielen könnte.**
    A. He acted as if he could play.
    B. He acted as if he wanted to play.
    C. He acted as if he wanted to help.
    D. He acted as if he were allowed to smoke.

(VII, G, 2)

12. **Er sah aus, als wäre er krank.**
    A. He looked as if he were sick.
    B. He looked as if he were tired.
    C. He looked as if he had not slept.
    D. He looked as if he were dead.
    E. He looked as if he had been running.

## ÜBUNGEN

**I.** Give the third person singular subjunctive I and II of the following:

sterben, bleiben, streiten, kommen, denken, senden, wissen, können, wollen, stehen, sein, werden, reisen, dürfen, tun, geben, helfen, sitzen, leben, heißen

**II.** Restate without using **ob** or **wenn**:

1. Er sah aus, als ob er krank wäre. 2. Er tat, als wenn nichts wäre. 3. Er ging, als ob er sich beeilen müßte. 4. Er tut, als ob er nicht bis drei zählen könnte. 5. Er lief, als wenn der Teufel hinter ihm her wäre.

**III.** Render into English:

1. Du würdest ihn sehr gern mögen.
2. Ihr würdet euch sofort verstehen.

3. Er würde sich eine Zigarette anzünden.
4. Er hätte es nicht tun sollen.
5. Er hätte arbeiten müssen.
6. Das hättest du nicht sagen sollen.
7. Wenn er viel Geld hätte, kaufte er sich einen neuen Wagen.
8. Wenn er viel Geld hätte, würde er sich einen neuen Wagen kaufen.
9. Wenn er viel Geld gehabt hätte, hätte er sich einen neuen Wagen gekauft.
10. Wenn er viel Geld gehabt hätte, würde er sich einen neuen Wagen gekauft haben.
11. Wüßte ich, wann der Zug ankommt, so würde ich meinen Vater abholen.
12. Wenn er sich nicht sofort hätte entschließen können, würden wir die Gelegenheit verpaßt haben.
13. Ich möchte wissen, wann der nächste Zug abfährt.
14. Es wäre schön, wenn Sie uns besuchten.
15. Nach einiger Zeit würde er sich zu mir setzen.

IV. Render into German:

1. If he were here now, I would help him. 2. He would tell us if he knew the answer. 3. If he worked harder, he would succeed. 4. If only he had known that yesterday! 5. If he had come earlier, he would not have missed the train.

V. Connect each pair of sentences with **als ob** (**als wenn**) and change accordingly:

1. Er setzte sich hin. Er war müde.
2. Er arbeitete. Er liebte es.
3. Das Mädchen zog sich an. Es war ein Feiertag.
4. Der Mann schwamm über den Fluß. Es war sehr leicht.
5. Er hat den alten Mann angeredet. Er kannte ihn.

VI. Connect each pair of the above sentences with **als** and then with **wenn**.

**VII.** Restate, beginning with the conclusion:

1. Wenn er viel Geld hätte, kaufte er sich einen neuen Wagen.
2. Wenn Sie uns besuchten, wäre es sehr schön.
3. Wenn er länger hätte bleiben können, würden wir uns gefreut haben.
4. Wenn es nicht geregnet hätte, wären wir jetzt gar nicht da.
5. Wenn er hier wäre, würde er sich mit mir unterhalten.

**VIII.** Restate the above sentences, expressing the conclusion in a different way (i.e., in the subj. pres. or past; or future or fut. perf.).

*Example:* **Wenn er viel Geld hätte, kaufte er sich einen neuen Wagen.**

**Wenn er viel Geld hätte, würde er sich einen neuen Wagen kaufen.**

**IX.** Restate the sentences in VII as real conditions.

# LESSON VIII.

VERBS
*Indirect discourse,
commands, sug-
gestions*

A U S  *Frieden*

E R N S T   G L A E S E R

Der Soldat zündete sich seine Pfeife an, die ausgegangen
war. Die Arbeiterinnen hatten sich um den Soldaten gestellt
und redeten ihn mit Du an. Der Soldat erzählte, daß gestern
mittag in D. ein Ersatzbataillon auf dem Truppenübungsplatz
sich geweigert hätte, auszumarschieren. Sie hätten ihre Of-      5
fiziere verhaftet und sich mit den Matrosen in Kiel solidarisch
erklärt. Darauf wären sie in geschlossener Formation nach der
Festhalle marschiert, hätten dort eine Versammlung abgehalten und einen Soldatenrat gewählt. Dieser Soldatenrat hätte
die Arbeiter in den Fabriken aufgefordert, die Arbeit nieder-    10
zulegen und Delegierte zu wählen, damit sie gemeinsam mit
der Garnison einen Arbeiter- und Soldatenrat bilden könnten.
Die Arbeiter hätten die Betriebe stillgelegt und wären auf die
Straße gegangen. Das Armeekommando hätte eine Kompagnie
Jäger gegen die Arbeiter geschickt, die Jäger hätten aber       15

---

From *Die zerstörte Illusion* by Ernst Glaeser (Munich: Verlag Kurt Desch,
1960). Reprinted by permission of the publisher.

*Ernst Glaeser*     1902–

gesagt, sie schössen nicht auf ihre Brüder, und wären mit den
Arbeitern gezogen. Eine Stunde später sei der Generalstreik
proklamiert worden, und am Abend hätten sich die Vertreter
der ganzen Garnison zusammen mit den Arbeitern in der
Festhalle getroffen und den Arbeiter- und Soldatenrat gegrün-    20
det. Alle Macht liege in dessen Händen, die Regierung sei in
der Nacht zurückgetreten, der Großherzog auf ein Landgut
geflohen. Aus allen benachbarten Garnisonen wären solida-
rische Telegramme gekommen, das Generalkommando und das
Zeughaus wären besetzt, nur im Marstall hätten sich fünfzig    25
Flieger und Fliegerschüler verbarrikadiert — dort würde wohl
noch geschossen, sonst sei D. in den Händen der Soldaten und
des Volkes — auch die großen Proviantdepots und die Banken.
In der Nacht sei das Telegramm von dem Rücktritt des
Kaisers gekommen, da hätten sie alle gewußt, daß sie gesiegt    30
hätten, niemand brauche mehr in den Krieg, der sei vorbei,
es gäbe jetzt Frieden.

„Wenn erst Frieden ist", schloß der Soldat, „dann ist alles
wieder in Ordnung."

Seine Stimme klang fromm und war mit Ruhe erfüllt.    35

## WORTSCHATZ

**ab-halten, ie, a, (ä)**  to hold
**an-reden**  to address, speak to
**an-zünden**  to light, ignite
**das Armeekommando, –s**  army headquarters
**auf-fordern**  to call upon, urge
**aus-marschieren (sein)**  to march out, depart
**benachbart**  neighboring
**besetzen**  to occupy
**der Betrieb, –e**  industrial plant
**bilden**  to form, to organize
**brauchen**  to need, be required
**erklären**  to declare

**das Ersatzbataillon, –e**  replacement batallion
**die Fabrik, –en**  factory
**die Festhalle, –n**  banquet hall
**der Flieger, –**  flier
**fliehen, o, o (sein)**  to flee
**der Frieden, –**  peace
**fromm**  devout, pious
**die Garnison, –en**  garrison
**gemeinsam**  in common, together
**der Generalstreik, –s**  general strike
**der Großherzog, ⁀e**  grand duke
**der Jäger, –**  rifleman

klingen, a, u  to sound
die Kompagnie, –n  company
der Krieg, –e  war
das Landgut, ¨er  country estate
die Macht, ¨e  power
der Marstall, ¨e  royal stables
der Matrose, –n, ⊢n  sailor
nieder-legen  to lay down
der Offizier, –e  officer
die Ordnung, –en  order
die Pfeife, –n  pipe
das Proviantdepot, –s  supply
    depot
die Regierung, –en  government
der Rücktritt, –e  resignation
die Ruhe  peace, tranquility
schicken  to send
schießen, o, o  to shoot
schließen, o, o  to conclude, end
siegen  to win, be victorious
der Soldatenrat, ¨e  soldiers' coun-
    cil

solidarisch erklären  declare soli-
    darity
sonst  otherwise
sich stellen  to take up a position,
    place oneself
still-legen  to close down
die Stimme, –n  voice
treffen, a, o, (i)  to meet
der Truppenübungsplatz, ¨e
    training area
verbarrikadieren  to barricade
verhaften  to arrest
die Versammlung, –en  meeting
der Vertreter, –  deputy, represen-
    tative
vorbei  over, past
wählen  to elect
sich weigern  to refuse
das Zeughaus, ¨er  arsenal
ziehen, o, o  to side with
zurück-treten, a, e, (i) (sein)  to
    withdraw, to resign

# FRAGEN

1. Warum zündete sich der Soldat seine Pfeife an?
2. Welche Leute hatten sich um den Soldaten gestellt?
3. Wie redeten die Arbeiterinnen den Soldaten an?
4. Was ist gestern mittag in D. passiert?
5. Wo haben die Soldaten eine Versammlung abgehalten?
6. Was hat der Soldatenrat gemacht?
7. Was haben die Arbeiter gemacht?
8. Wer schickte eine Kompagnie Jäger gegen die Arbeiter?
9. Wieviele Arbeiter wurden von Jägern erschossen?
10. Was ist später proklamiert worden?
11. Was haben die Flieger gemacht?
12. Was stand in dem erwähnten Telegramm?

13. Was brauchte niemand mehr zu tun?
14. Wann, behauptet der Soldat, sei alles wieder in Ordnung?
15. Beschreiben Sie die Stimme des Soldaten.


# M U S T E R S Ä T Z E

(*Study Lesson VIII in the Grammatical Appendix.*)

(VIII, A)

1. **Der Soldat erzählte, daß es jetzt Frieden gebe.**
    A. The soldier said that there was peace now.
    B. The soldier said that there was still no peace.
    C. The soldier said that there was no war.
    D. The soldier said that there was no choice now.

2. **Der Soldat sagte, die Matrosen wären nicht in Kiel.**
    A. The soldier said the sailors were not in Kiel.
    B. The soldier said the sailors would not be in Kiel.
    C. The soldier said the sailors had not been in Kiel.
    D. The soldier said the sailors had never been in Kiel.

3. **Der Arbeiter sagt, daß der Krieg vorbei sei.**
    A. The worker says that the war is over.
    B. The worker said that the war was over.
    C. Did the worker say that the war was over?
    D. The worker had said that the war was over.

4. **Er erzählte, daß die Soldaten einen Soldatenrat gewählt hätten.**
    A. He said that the soldiers had elected a soldiers' council.
    B. He said that the soldiers had shot the workers.
    C. Did he say that the soldiers had shot the workers?
    D. He said that the soldiers had shot no workers.

5. **Das Mädchen sagte, die Regierung sei in der Nacht geflohen.**
    A. The girl said the government had fled during the night.

B. The girl said the government had resigned during the night.

C. The girl said the soldiers had marched to Kiel during the night.

D. The girl said many telegrams had come during the night.

6. **Er sagt, daß die Arbeiter die Betriebe stillgelegt hätten.**
   A. He says that the workers closed down the plants.
   B. He said that the workers had closed down the plants.
   C. Did he say that the workers had closed down the plants?
   D. He said they had closed down the plants.

7. **Man sagte, daß in Kiel wohl noch geschossen würde.**
   A. It was said that there was undoubtedly still some shooting in Kiel.
   B. It was said that there were undoubtedly still some strikes in Kiel.
   C. It was said that there was undoubtedly still some fighting in Kiel.
   D. It was said that there was no shooting in Kiel.

8. **Der Matrose erzählte, daß eine Stunde später der Generalstreik proklamiert worden sei.**
   A. The sailor said that an hour later the general strike had been proclaimed.
   B. The sailor said that during the night the war had been proclaimed.
   C. The sailor said that no war had been proclaimed during the night.
   D. The sailor said that a soldiers' council had been elected.

9. **Er sagte, sie verhafteten jede Nacht einen Offizier.**
   A. He said they arrested an officer each night.
   B. He said they had arrested their officers.
   C. He said they would arrest their officers.
   D. He said they would have arrested their officers.

(VIII, B)

10. **Er sagte, daß die Soldaten ausmarschieren müßten.**
    A. He said that the soldiers had to march out.
    B. He said that the soldiers were to march out.
    C. He said that the soldiers had to occupy the arsenal.
    D. He said that the soldiers were to occupy the arsenal.

(VIII, C)

11. **Er fragte mich, ob der Generalstreik proklamiert worden sei.**
    A. He asked me if the general strike had been proclaimed.
    B. He asked me why the general strike had been proclaimed.
    C. He asked me when the general strike had been proclaimed.
    D. He asked me where the general strike had been proclaimed.

# ÜBUNGEN

**I.** Recast the reading selection in direct discourse.

**II.** Change the indirect statement to the past tense:

1. Er sagte, daß alle Macht in den Händen der Regierung liege.
2. Sie sagte, in Kiel werde noch geschossen. 3. Der Soldat behauptete, daß der Krieg schon vorbei sei. 4. Er erklärte, daß es Frieden gäbe. 5. Die Jäger sagten, sie schössen nicht auf ihre Brüder.

**III.** Change the direct statement into indirect discourse:

1. Der Soldat erzählte: „Gestern hat ein Ersatzbataillon sich geweigert, auszumarschieren."
2. Er sagte: „Sie haben ihre Offiziere verhaftet."
3. Das Mädchen sagte: „Alle Macht liegt in den Händen der Regierung."
4. Der Soldat erzählte: „Ein Telegramm kam in der Nacht an."
5. Das Mädchen fragte: „Was wird das Telegramm wohl enthalten?"

**IV.** Supply the missing verbs:

1. Er sagte, die Arbeiter _____ die Betriebe stillgelegt.
2. Man behauptete, daß es bald Frieden geben _____.
3. Er fragte ihn, ob der Generalstreik _____ _____ _____
(*had been proclaimed.*)
4. Da kam der Befehl, daß man ausmarschieren _____ (*must*).
5. Aber im Bericht steht, daß die Soldaten sich geweigert _____.
6. Man sagte, das Armeekommando _____ eine Kompagnie
Jäger geschickt.
7. Er schrieb im Bericht, daß die Arbeiter die Betriebe stillgelegt
_____ und auf die Straße gegangen _____.
8. Man glaubte, daß die Proviantdepots und die Banken in den
Händen der Soldaten _____.
9. Er erzählte, daß die Vertreter der Garnison zusammen mit den
Arbeitern sich in der Festhalle getroffen _____.
10. Er erklärte, daß der Krieg endlich vorbei _____ und daß es
jetzt Frieden _____.

**V.** Render into German:

1. The soldier said that the war was over. 2. The girl replied that
they had arrested their officers. 3. The soldier says that the war is
over. 4. The girl replies that they arrested their officers. 5. She
asked where the fliers had barricaded themselves.

**VI.** Render into English:

1. Er sagte, daß der Großherzog auf sein Landgut geflohen sei.
2. Sie behauptete, daß die Soldaten gesiegt hätten.
3. Er sagte, niemand brauche mehr in den Krieg zu ziehen.
4. Sie erzählte, daß die Stadt in den Händen der Soldaten sei.
5. Er behauptete, daß die Zeughäuser besetzt seien.
6. Da kam der Befehl, daß ein Soldatenrat gewählt werden
müsse.
7. Die Arbeiterinnen sagten, in der Nacht sei das Telegramm
von dem Rücktritt des Kaisers gekommen.

8. Sie behaupteten auch, daß der Generalstreik proklamiert worden sei.
9. Auch sagte man, daß in Kiel noch geschossen werde.
10. Die Jäger haben aber gesagt, sie schössen nicht auf ihre Brüder.

**VII.** Change the direct quotation to indirect discourse:

1. Sie fragte: „Was wird der Kaiser tun?"
2. Der Soldat fragte: „Gibt es jetzt wirklich Frieden?"
3. Er hat geschrieben: „Geh auf dein Landgut und bleib bis Montag dort."
4. Er fragte: „Wo werden die Versammlungen abgehalten?"
5. Er fragte: „In wessen Händen liegt jetzt die Macht?"
6. Annemarie sagte: „Es ist Post für dich da. Deine Mutter hat geschrieben. Sie bittet mich, es dir nicht übel zu nehmen, auch wenn du Fehler begehst. Hast du etwas falsch gemacht, weil du noch arbeitest?"

*Heinrich von Kleist*     1777–1811

AUS *Die heilige Cäcilie*

# HEINRICH VON KLEIST

Um das Ende des sechzehnten Jahrhunderts, als die Bilderstürmerei in den Niederlanden wütete, trafen drei Brüder,
junge in Wittenberg studierende Leute, mit einem vierten,
der in Antwerpen als Prediger angestellt war, in der Stadt
Aachen zusammen. Dort wollten sie eine Erbschaft erheben,      5
die ihnen von Seiten eines alten, ihnen allen unbekannten
Oheims zugefallen war, und kehrten, weil niemand in dem Ort
war, an den sie sich hätten wenden können, in einem Gasthof
ein. Nach Verlauf einiger Tage, die sie damit zugebracht hatten, den Prediger über die merkwürdigen Auftritte, die in den   10
Niederlanden vorgefallen waren, anzuhören, traf es sich, daß
von den Nonnen im Kloster der heiligen Cäcilie, das damals
vor den Toren dieser Stadt lag, der Fronleichnamstag festlich
gefeiert werden sollte. Die vier Brüder, von Schwärmerei,
Jugend und dem Beispiel der Niederländer erhitzt, beschlos-    15
sen, auch der Stadt Aachen das Schauspiel einer Bilderstürmerei zu geben. Der Prediger, der solche Unternehmungen

73

mehr als einmal schon geleitet hatte, versammelte eine Anzahl
junger, der neuen Lehre ergebener Kaufmannssöhne und Stu-
20  denten, welche die Nacht in dem Gasthofe bei Wein und
Speisen zubrachten. Als der Tag graute, versahen sie sich mit
Äxten und Zerstörungswerkzeugen aller Art, um ihr ausgelassenes Geschäft zu beginnen.

# WORTSCHATZ

an-hören   to listen to
an-stellen   to engage, employ
die Anzahl   number
die Art, –en   kind, sort
    aller Art   of all sorts
der Auftritt, –e   event
ausgelassen   wild, unruly
die Axt, ⁀e   ax
das Beispiel, –e   example
beschließen, o, o   to decide
die Bilderstürmerei, –en   icono-
    clastic riot
damals   then, at that time
ein-kehren (sein)   to put up at
    an inn
die Erbschaft: eine Erbschaft er-
    heben   to take possession of
    an inheritance
ergeben   devoted
erhitzt   excited, inflamed
feiern   to celebrate
festlich   festive, solemn
der Fronleichnamstag   Corpus
    Christi Day
der Gasthof, ⁀e   inn
das Geschäft, –e   business
heilig   holy
    heilige Cäcilie   St. Cecilia
das Jahrhundert, –e   century
die Jugend   youth

der Kaufmann, –leute   merchant
das Kloster, ⁀   convent
die Lehre, –n   teaching, doctrine
leiten   to lead, direct, conduct
merkwürdig   unusual
die Niederlande   Netherlands
die Nonne, –n   nun
der Ort, –e or ⁀er   place, town
der Prediger, –   preacher
das Schauspiel, –e   spectacle
die Schwärmerei   fanaticism
das Speisen   feasting
das Tor, –e   gate
sich treffen, a, o, (i)   to happen
unbekannt   unknown
die Unternehmung, –en   under-
    taking
der Verlauf, ⁀e: nach Verlauf
    einiger Tage   after several
    days
versammeln   gather
sich versehen, a, e, (ie)   equip
    oneself
vor-fallen, ie, a, (ä) (sein)   to
    happen
der Wein, –e   wine
sich wenden, wandte, gewandt:
    an den sie sich hätten wen-
    den können   to whom they
    might have turned

wüten   to rage
die Zerstörungswerkzeuge   tools
   of destruction
zu-bringen, brachte zu, zugebracht
   to spend (time)
zu-fallen, ie, a, (ä) (sein): die
   ihnen von Seiten eines alten,

ihnen allen unbekannten
Oheims zugefallen war
which had been left to them
by an old uncle who was unknown to them all
zusammen-treffen, a, o, (i) (sein)
   to meet

# FRAGEN

1. Wann trafen drei Brüder mit einem vierten in der Stadt Aachen zusammen?
2. Was wütete um das Ende des sechzehnten Jahrhunderts in den Niederlanden?
3. Wann wütete die Bilderstürmerei in den Niederlanden?
4. Wo wütete die Bilderstürmerei um das Ende des sechzehnten Jahrhunderts?
5. Von wem war die Erbschaft den Brüdern zugefallen?
6. Warum kehrten sie in einem Gasthof ein?
7. Was sollte festlich gefeiert werden?
8. Von wem sollte der Fronleichnamstag festlich gefeiert werden?
9. Wo lag das Kloster?
10. Was beschlossen die vier Brüder?
11. Was machten sie, als der Tag graute?
12. Was hat der Prediger schon oft geleitet?
13. Wie haben die Kaufmannssöhne und Studenten die Nacht zugebracht?

# MUSTERSÄTZE

(*Study Lesson IX in the Grammatical Appendix.*)

## (IX, C)

1. **Der in Antwerpen angestellte Bruder war Prediger.**
   A. The brother who was employed in Antwerp was a preacher.
   B. The brother who was born in Berlin was a merchant.

C. The sister who was employed in Berlin was a teacher.

D. How old was the sister who was employed in Berlin?

(IX, B, 1, 2, 3, 4, 5)

2. **Der Bruder, der in Antwerpen angestellt war, war Prediger.**

   A. The brother who was employed in Antwerp was a preacher.

   B. The brother who was born in Berlin was a merchant.

   C. The sister who was employed in Berlin was a teacher.

   D. How old was the sister who was employed in Berlin?

(IX, A, 3)

3. **Der Fronleichnamstag sollte um sechs Uhr festlich gefeiert werden.**

   A. Corpus Christi Day was to be celebrated solemnly at six o'clock.

   B. Breakfast was to be eaten quickly at seven o'clock.

   C. A number of young students was to be gathered quickly at five o'clock.

   D. The night was to be spent quietly at the inn.

(IX, B, 1, 2, 3, 4, 5)

4. **Als der Tag graute, versahen sie sich mit Äxten.**

   A. When the day dawned, they equipped themselves with axes.

   B. When the day dawned, a number of students gathered.

   C. When the day dawned, the unruly business began.

   D. When the day dawned, they left the city.

(IX, A, 5)

5. **Sie versahen sich mit Äxten, um ihr ausgelassenes Geschäft zu beginnen.**

   A. They equipped themselves with axes in order to begin their unruly business.

   B. When did they equip themselves with axes in order to do their business?

   C. They bought themselves tools in order to do their work.

   D. She bought herself tools in order to do her work.

(IX, B, 3)

6. **In dem Ort war niemand, an den sie sich hätten wenden können.**
    A. There was no one in the town to whom they might have turned.
    B. There was no one in the town who might have seen them.
    C. There was someone in the house who might have seen them.
    D. There was no one in the town whom they might have asked.

(IX, A, 2)

7. **Beginnen wir jetzt die Aufgabe!**
    A. Let's begin the lesson now.
    B. Let's celebrate his birthday now.
    C. Let's eat the cake now.
    D. Let's buy the tools now.

8. **Hätten wir uns nur mit Äxten versehen!**
    A. If we had only equipped ourselves with axes!
    B. If we had only bought ourselves the tools!
    C. If she had only bought herself a hat!
    D. If he had only given himself the time!

(IX, A, 5, *c*)

9. **Die Brüder kehrten in einem Gasthof ein.**
    A. The brothers put up at an inn.
    B. Why did the brothers put up at an inn?
    C. The train arrived at ten o'clock.
    D. Where did the train arrive at ten o'clock?

(IX, B, 5)

10. **Der Bruder ging zu Werke, als hätte er solche Unternehmungen schon oft geleitet.**
    A. The brother worked as if he had already led such ventures often.
    B. The brother worked as if he had already done it often.

C. The brother spoke as if he had already done it often.

D. The brother acted as if he had already known it.

11. **Der Bruder ging zu Werke, als ob er solche Unternehmungen schon oft geleitet hätte.**

   A. The brother worked as if he had already led such ventures often.

   B. The brother worked as if he had already done it often.

   C. The brother spoke as if he had already done it often.

   D. The brother acted as if he had already known it.

## Ü B U N G E N

**I.** Pick out the subject and the finite verb in each clause:

1. Einem jungen Bauersmann in Norwegen soll einmal folgende Geschichte begegnet sein. Er liebte ein schönes Mädchen, die einzige Tochter eines reichen Nachbarn, und wurde von ihr geliebt, aber die Armut des Werbers machte alle Hoffnung auf nähere Verbindung zunichte.

2. Er half Feuer machen, holte Brot, stürzte schnell den mit frischer Milch gekühlten Kaffee hinunter, steckte Brot in die Tasche und lief davon.

3. Hans saß eine halbe Stunde lang auf dem Fenstersims, stierte auf den frisch geputzten Dielenboden und versuchte sich vorzustellen, wie das sein würde, wenn es nun wirklich mit Seminar und Gymnasium und Studieren nichts wäre.

4. Früh am Morgen eines heißen Sommertages litt ich im Bette Durst und stand auf, um in die Küche zu gehen, wo stets ein Krug frischen Wassers stand.

5. Dem Musiklehrer Heinze standen die Haare zu Berg, als Johann zu ihm kam und Violinstunden haben wollte, denn er kannte ihn von den Singstunden her, in welchen die Leistungen Johanns zwar alle Mitschüler hoch erfreuten, ihn aber, den Lehrer, zum Verzweifeln brachten.

6. Hans wußte nicht, warum er gerade heute an jenen Abend

denken mußte, nicht, warum diese Erinnerung so schön und mächtig war, noch warum sie ihn so elend und traurig machte.

7. Im Burgundenlande, auf der alten Königsburg zu Worms am Rheine, wuchs eine edle Königstochter nach des Vaters frühem Tode zur blühenden Jungfrau heran, voll Liebreiz und Anmut.

8. Diesen Worten folgte lauter Beifall, und König Günther, als das Haupt der Burgunden, fragte Giselher und darauf Dietelind, ob sie einander treue Minne für die Fahrt durchs Leben geloben wollten.

9. „Mein Schiff ist verloren", rief er, „dort segelt der Tod!" Ehe ich ihn noch über diesen sonderbaren Ausruf befragen konnte, stürzten schon heulend und schreiend die Matrosen herein.

10. Kriege führen auch die Ameisen, Staaten haben auch die Bienen, Reichtümer sammeln auch die Hamster. Möge der Weltlauf gehen, wie er wolle, einen Arzt und Helfer, eine Zukunft und neuen Antrieb wirst du immer nur in dir selber finden.

11. Aber erst im Januar wurde uns durch Teresa selbst ihre Verlobung mit Hans brieflich angezeigt. Erst ein Jahr später sollte aber die Vermählung stattfinden.

12. Fräulein Maria Helene, das war ihr wirklicher Name, erklärte, daß es in Meißen doch zu langweilig sei und daß es einem dort an allem fehle, was dem Leben Wert und Gehalt gebe.

13. Wir haben in der Geschichte der Philosophie Meister der Feder und des Wortes, Schriftsteller ersten Ranges, die es verstanden haben, ihre Gedanken in eine Form zu gießen, die die Lektüre ihrer Werke auch für den Laien zu einem Genuß anstatt zu einer Arbeit macht.

14. Ihnen alle Bedingungen zu schildern, unter denen ich angestoßen bin, ist fast unmöglich.

15. Die Empfindung stellt fest, was tatsächlich vorhanden ist. Das Denken ermöglicht uns zu erkennen, was das Vorhandene bedeutet, das Gefühl, was es wert ist, und die Intuition schließlich weist auf die Möglichkeiten des Woher und Wohin, die im gegenwärtig Vorhandenen liegen.

II. Restate the following sentences, changing all extended modifiers to subordinate clauses:

*Example:* **Er hat den auf der Bank sitzenden Mann begrüßt.**
**Er hat den Mann begrüßt, der auf der Bank sitzt.**

1. Im Verlaufe von zehn Jahren war er zweimal krank gewesen; das eine Mal infolge eines vom Tender einer Lokomotive während des Vorbeifahrens herabgefallenen Stückes Kohle, welches ihn getroffen hatte; das zweite Mal weil er krank war.

2. Es dauerte nicht sehr lange, bis Redegonda mich in meiner kleinen, am Ende der Stadt gelegenen Wohnung besuchte.

3. Eine endgültige und in jeder Hinsicht befriedigende Antwort ist kaum möglich.

4. Meine Mutter hatte noch immer das durch meine frühere exemplarische Lebensweise begründete Respektsverhältnis zu mir.

5. Die Anwendung der vergleichenden Methode zeigt unzweifelhaft, daß die Quaternität eine mehr oder weniger direkte Darstellung des in seiner Schöpfung sich manifestierenden Gottes ist.

6. Es wäre nicht uninteressant, zu erforschen, ob nicht unsere in der Neuzeit empfundene Scheu vor Aberglauben nichts anderes als eine Weiterentwicklung der primitiven Magie und Geisterfurcht ist.

7. Bedeckt man eine längere Zeit vor dem Versuche gereinigte Glasplatte mit einem Stück Papier, in welchem eine Figur ausgeschnitten ist, haucht sie an und entfernt das Papier, so ist nach dem Verschwinden des Hauches nichts zu sehen; bei erneuten Anhauchen tritt jedoch die Figur deutlich hervor.

8. Um das Ende des sechzehnten Jahrhunderts trafen drei junge in Wittenberg studierende Brüder in der Stadt Aachen zusammen.

9. Sie wollten eine ihnen von Seiten eines alten Onkels zugefallene Erbschaft erheben.

10. Sie wollten eine Erbschaft erheben, die ihnen von Seiten eines alten, ihnen allen unbekannten Onkels zugefallen war.

**III.** Restate, changing all subordinate clauses to extended modifiers:

1. Man sperrte uns in ein Zimmer, das von der Außenwelt abgeschlossen war.
2. Der lange Brief, der gestern gekommen war, erzählte die ganze unangenehme Geschichte.
3. Mit der Gebühr, die Sie vorgeschlagen haben, bin ich gerne einverstanden.
4. An dieser Stelle hat Hebbel das politische Geschehen mit dem persönlichen, das sich zwischen Herodes und Mariamne entwickelt, verknüpft.
5. Der Mensch ist ja abhängig von der Lebensluft, die ihn umgibt.

*Stefan Zweig*　　1881–1942

# LESSON X.

*Definite and indefi-*
*nite articles, use of*
*cases, plural of*
*nouns, weak nouns*

AUS *Schachnovelle*

## STEFAN ZWEIG

Ein eigenes Zimmer in einem Hotel—nicht wahr, das klingt
an sich äußerst human? Aber Sie dürfen mir glauben, daß
man uns keineswegs eine humanere, sondern nur eine raffinier-
tere Methode zudachte, wenn man uns „Prominente" nicht
zu zwanzig in eine eiskalte Baracke stopfte, sondern in einem      5
leidlich geheizten und separaten Hotelzimmer behauste. Denn
die Pression, mit der man uns das benötigte „Material" abzwin-
gen wollte, sollte auf subtilere Weise funktionieren als durch
rohe Prügel oder körperliche Folterung: durch die denkbar
raffinierteste Isolierung. Man tat uns nichts — man stellte uns    10
nur in das vollkommene Nichts, denn bekanntlich erzeugt
kein Ding auf Erden einen solchen Druck auf die menschliche
Seele wie das Nichts. Indem man uns jeden einzeln in ein
völliges Vakuum sperrte, in ein Zimmer, das hermetisch von
der Außenwelt abgeschlossen war, sollte, statt von außen       15

*Schachnovelle* by Stefan Zweig, Copyright 1943 by Bermann-Fischer Verlag
AB. Stockholm.

durch Prügel und Kälte, jener Druck von innen erzeugt werden, der uns schließlich die Lippen aufsprengte. Auf den
ersten Blick sah das mir angewiesene Zimmer durchaus nicht
unbehaglich aus. Es hatte eine Tür, ein Bett, einen Sessel, eine
20 Waschschüssel, ein vergittertes Fenster. Aber die Tür blieb
Tag und Nacht verschlossen, auf dem Tisch durfte kein Buch,
keine Zeitung, kein Blatt Papier, kein Bleistift liegen, das
Fenster starrte eine Feuermauer an; rings um mein Ich und
selbst an meinem eigenen Körper war das vollkommene Nichts
25 konstruiert. Man hatte mir jeden Gegenstand abgenommen,
die Uhr, damit ich nicht wisse um die Zeit, den Bleistift, daß
ich nicht etwa schreiben könne, das Messer, damit ich mir
nicht die Adern öffnen könne; selbst die kleinste Betäubung
wie eine Zigarette wurde mir versagt. Nie sah ich außer dem
30 Wärter, der kein Wort sprechen und auf keine Frage antworten durfte, ein menschliches Gesicht, nie hörte ich eine menschliche Stimme: Auge, Ohr, alle Sinne bekamen von morgens
bis nachts und von nachts bis morgens nicht die geringste
Nahrung, man blieb mit sich, mit seinem Körper und den
35 vier oder fünf stummen Gegenständen, Tisch, Bett, Fenster,
Waschschüssel, rettungslos allein; man lebte wie ein Taucher
unter der Glasglocke im schwarzen Ozean dieses Schweigens
und wie ein Taucher sogar, der schon ahnt, daß das Seil nach
der Außenwelt abgerissen ist und er nie zurückgeholt werden
40 wird aus der lautlosen Tiefe. Es gab nichts zu tun, nichts zu
hören, nichts zu sehen, überall und ununterbrochen war um
einen das Nichts, die völlig raumlose and zeitlose Leere. Man
ging auf und ab, und mit einem gingen die Gedanken auf und
ab, auf und ab, immer wieder. Aber selbst Gedanken, so sub-
45 stanzlos sie scheinen, brauchen einen Stützpunkt, sonst beginnen sie zu rotieren und sinnlos um sich selbst zu kreisen;
auch sie ertragen nicht das Nichts. Man wartete auf etwas,
von morgens bis abends, und es geschah nichts. Man wartete
wieder und wieder. Es geschah nichts. Man wartete, wartete,
50 wartete, man dachte, dachte, man dachte, bis einem die

Schläfen schmerzten. Nichts geschah. Man blieb allein. Allein. Allein.

# WORTSCHATZ

**ab-nehmen, a, o, (i)** to take away, remove
**ab-reißen, i, i** to tear asunder
**ab-schließen, o, o** to lock up, seal off
**ab-zwingen, a, u** to force out of
**die Ader, –n** vein
**ahnen** to have a premonition
**angewiesen** assigned
**an-starren** to stare at
**auf-sprengen** to force open
**die Außenwelt, –en** the outside world
**äußerst** extremely
**die Baracke, –n** barrack
**behausen** to quarter, house
**bekanntlich** as is well known
**bekommen, a, o** to receive
**benötigt** needed
**die Betäubung, –en** distraction
**das Blatt, –er** leaf, piece of paper
**der Blick, –e** look, sight
**denkbar** imaginable
**der Druck, –e** pressure
**durchaus nicht** not at all
**eigen** own
**eiskalt** ice cold
**ertragen, u, a, (ä)** to endure
**erzeugen** to produce
**die Feuermauer, –n** fire wall
**die Folterung, –en** torture
**der Gedanke, –ns, –n** thought
**der Gegenstand, –e** object

**geheizt** heated
**gering** slight
**die Glasglocke, –n** glass cover
**die Isolierung** isolation
**die Kälte** cold
**keineswegs** in no way
**klingen, a, u** to sound
**konstruieren** to construct
**der Körper, –** body
**körperlich** physical
**kreisen** to rotate
**lautlos** silent
**die Leere, –n** emptiness, void
**leidlich** tolerable
**die Lippe, –n** lip
**die Nahrung** nourishment
**das Nichts** nothingness, void
**die Pression, –en** pressure
**Prominente** VIP's (important prisoners)
**die Prügel** (plural) beating
**raffiniert** sly, cunning, sophisticated
**raumlos** spaceless
**rettungslos** hopeless
**ringsum** all around
**roh** raw
**rotieren** to rotate
**die Schläfe, –n** temple
**schließlich** finally
**schmerzen** to hurt, ache
**das Schweigen** silence
**die Seele, –n** soul, spirit

das Seil, –e  rope, line
der Sessel, –  armchair
der Sinn, –e  sense
sinnlos  senseless
sonst  otherwise
sperren  to lock up
stellen  to place
die Stimme, –n  voice
stopfen  to cram, stuff
stumm  mute
der Stützpunkt, –e  point of support, base
der Taucher, –  diver
die Tiefe, –n  depth
unbehaglich  uncomfortable

ununterbrochen  uninterrupted
das Vakuum, die Vakua  vacuum
vergittert  barred
versagen  to deny
verschließen, o, o  to lock
vollkommen  complete
der Wärter, –  guard
die Waschschüssel, –n  washbowl
die Weise, –n  way, manner
zeitlos  timeless
die Zeitung, –en  newspaper
zu-denken, dachte zu, zugedacht  to have in store for
zurück-holen  to bring back

# FRAGEN

1. Was klingt an sich äußerst human?
2. Wo wurden die „Prominenten" behaust?
3. Wo sperrte man jeden prominenten Gefangenen einzeln ein?
4. Was erzeugt einen furchtbaren Druck auf die menschliche Seele?
5. Wozu wollte man die Gefangenen zwingen?
6. Auf welche Art sollten den Gefangenen schließlich die Lippen aufgesprengt werden?
7. Wie sah das Zimmer auf den ersten Blick aus?
8. Beschreiben Sie das Zimmer!
9. Welchen Ausblick hatte man vom Fenster des Zimmers?
10. Welche Gegenstände hatte man dem Gefangenen abgenommen?
11. Warum hat man ihm die Uhr abgenommen?
12. Wie verhielt sich der Wärter stets?
13. Weshalb bekamen alle Sinne von morgens bis nachts nicht die geringste Nahrung?
14. Mit wem vergleicht sich der Gefangene?
15. Welche Ahnung hat dieser Taucher?

16. Was war das einzige, was der Gefangene in dem engen Zim-
    mer tun konnte?
17. Was brauchen selbst die Gedanken?
18. Wann beginnen die Gedanken zu rotieren und um sich zu
    kreisen?


# MUSTERSÄTZE
*(Study Lesson X in the Grammatical Appendix.)*


(X, A, 1, 2*a*, F)

1. **Kein Bleistift durfte auf dem Tisch liegen.**
    A. No pencil was permitted on the table.
    B. No book was permitted on the table.
    C. No newspaper was permitted on the table.
    D. No books were permitted on the table.


(X, C)

2. **Selbst eine Zigarette ist dem Mann versagt worden.**
    A. Even a cigarette has been denied the man.
    B. Even a cigarette has been denied the woman.
    C. Even a cigarette has been denied the girl.
    D. Even a cigarette has been denied the men.


(X, B, C)

3. **Man hat dem Gefangenen den Bleistift abgenommen.**
    A. They took the pencil from the prisoner.
    B. They took the watch from the prisoner.
    C. They took the knife from the prisoner.
    D. They took the cigarettes from the prisoner.


(X, B, C, 1)

4. **Außer dem Wärter hat er sonst keinen Menschen gesehen.**
    A. Except for the guard, he saw no other human being.
    B. Except for the bed, he had no other furniture.

    c. Except for the newspaper, he read nothing else.

    d. Except for the cigarettes, he smoked nothing else.

(X, A, F)

5. **Die Tür blieb Tag und Nacht verschlossen.**

    a. The door remained closed day and night.

    b. The window remained closed day and night.

    c. The doors remained closed day and night.

    d. The windows remained closed day and night.

(X, A, C)

6. **Dem Gefangenen wird die Uhr abgenommen, damit er nicht um die Zeit wisse.**

    a. The watch is taken from the prisoner so that he doesn't know what time it is.

    b. The pencil is taken from the prisoner so that he cannot write.

    c. The knife is taken from the prisoner so that he cannot open his veins.

    d. The cigarettes are taken from the prisoner so that he cannot smoke.

(X, C)

7. **In seinem Zimmer war er von der Außenwelt völlig abgeschlossen.**

    a. In his room he was completely cut off from the outside world.

    b. In his room he was completely cut off from human beings.

    c. In his room he was completely cut off from women.

    d. In his room he was completely cut off from friends.

(X, D)

8. **Das Bild eines Baumes hing an der Wand.**

    a. The picture of a tree hung on the wall.

    b. The picture of a man hung on the wall.

    c. The picture of a child hung on the wall.

    d. The picture of an animal hung on the wall.

9. **Das Kleid einer Frau lag auf dem Bett.**
    A. A woman's dress lay on the bed.
    B. A lady's dress lay on the chair.
    C. A dancer's dress lay on the table.
    D. A shopgirl's dress lay on the floor.

(X, D, F)

10. **Die Häuser der Stadt hatten keine Feuermauern.**
    A. The houses of the city had no fire walls.
    B. The buildings of the city had no fire walls.
    C. The streets of the city had no holes.
    D. The streets of the city had no lights.
    E. The inhabitants of the city had no cars.

(X, E)

11. **Er wollte noch eine Tasse Kaffee trinken.**
    A. He wanted to drink another cup of coffee.
    B. He wanted to order another glass of beer.
    C. He wanted to sell another dozen eggs.
    D. He wanted to eat another piece of cake.

(X, C, E)

12. **Er hätte der Dame gern ein Paar Schuhe verkauft.**
    A. He would like to have sold the lady a pair of shoes.
    B. He would like to have ordered the lady a cup of coffee.
    C. He would like to have given the lady a loaf of bread.
    D. He would like to have bought the lady a bowl of soup.

# ÜBUNGEN

I. Give the case and number of the following:

1. der Student, der Mädchen, der Hüte, der Zimmer, der Bücher, der Tür, der Bilder, der Stadt, der Zug, der Tochter, der Mütter, der Satz, der Tag, der Hunde, der Vater, der Vetter, der Betten, der Hemden

2. den Mann, den Studenten, den Hunden, den Vätern, den Betten, den Satz, den Herrn, den Jungen, den Namen, den Willen, den Zimmern, den Türen, den Soldaten, den Herzen, den Bildern, den Freundinnen, den Mantel

**II.** Supply the proper form of the article:

1. Die Tür _____ Zimmers blieb Tag und Nacht verschlossen.
2. _____ Mann gefällt mir ja gar nicht.
3. Auf dem Tisch lag _____ Buch.
4. _____ Frau hat er einen Pelzmantel geschenkt.
5. _____ 5. April 1966.
6. _____ Hüte _____ Frauen finde ich sehr lächerlich.
7. Man hatte mir _____ Uhr abgenommen.
8. _____ Fenster starrte _____ Feuermauer an.
9. _____ Zimmer hatte _____ Tür, _____ Bett, _____ Sessel, _____ Waschschüssel, _____ Fenster und _____ Tisch.
10. _____ Wärter durfte _____ Wort sprechen.

**III.** Restate in the plural:

1. Von diesem Mann wußten wir nichts. 2. Dieser Kerl in der Gummischürze sah wie der Fleischer aus. 3. Er hat den Handschuh angezogen. 4. Machen Sie nur keine Bemerkung. 5. Auf dem Baum saß eine Taube.

**IV.** Give the plural of the following:

1. die Behandlung, die Bemerkung, die Bewegung, die Einladung, die Stellung, die Unternehmung, die Zeitung
2. die Lippe, die Glasglocke, die Schläfe, die Stimme, die Tiefe, die Bühne, die Schürze, die Kiste, die Narkosemaske, die Wunde
3. die Gesellschaft, die Brüderschaft, die Erbschaft
4. die Art, die Tür, die Frau, die Zeit, die Welt, die Zeitschrift, die Wahl, die Bahn
5. die Bilderstürmerei, die Schwärmerei, die Bäckerei
6. die Möglichkeit, die Wahrheit, die Dummheit

7. die Universität, die Diät
8. die Feder, die Gabel, die Oper, die Schulter, die Schwester
9. die Freundin, die Tänzerin, die Verkäuferin
10. die Stadt, die Hand, die Braut, die Haut, die Angst, die Macht, die Nacht
11. die Erlaubnis, die Finsternis
12. die Mutter, die Tochter
13. das Haus, das Bild, das Bad, das Band, das Blatt, das Buch, das Ei
14. das Kissen, das Mädchen, das Messer, das Zimmer, das Feuer, das Fenster
15. das Bein, das Beispiel, das Brot, das Ding, das Papier, das Werk, das Meer
16. das Schiff, das Gespräch, das Geschenk
17. das Ergebnis, das Erlebnis, das Gefängnis
18. das Auge, das Bett, das Ende, das Hemd, das Ohr
19. das Auto, das Echo, das Hotel, das Konto, das Kino
20. das Gebäude, das Gebirge
21. das Herz
22. das Gymnasium, das Museum, das Observatorium, das Territorium
23. der Apfel, der Arbeiter, der Ausländer, der Bäcker, der Besen, der Boden, der Bruder, der Finger, der Kaiser, der Schatten, der Winter, der Wagen
24. der Abend, der Anfang, der Anzug, der Baum, der Augenblick, der Arzt, der Tisch, der Traum, der Sturm, der Zug, der Ring, der Schlag, der Hof
25. der Geist, der Gott, der Mann, der Wald, der Irrtum, der Rand
26. der Doktor, der Professor, der Schmerz, der Staat, der Vetter
27. der Affe, der Astronaut, der Bär, der Polizist, der Soldat, der Student

V. Render into English:

der Hut der Dame, das Dach des Hauses, die Zeiger der Uhr, die Farbe der Wand, die Augen des Mannes, das Gesicht des Mädchens, der Name des Studenten, der Anzug des Herrn, das Bild der Frau, die Schauspieler des Theaters, die Augen der Männer, die Dächer der Häuser

**VI.** Render into German:

the gentleman's hat, the gentlemen's hats, the color of the door, the colors of the doors, the lady's hand, the ladies' hands, the pages of the book, the pages of the books, a cup of coffee, a glass of milk, a piece of cake, the University of Heidelberg, the city of Munich

**VII.** Render the indirect object into German:

**Er gab es** . . . to the lady, to the gentleman, to the girl, to the ladies, to the gentlemen, to the girls, to the student, to the boy, to the students, to the boys

**VIII.** Render the direct object into German:

**Er betrachtete** . . . the man, the student, the girl, the boy, the house, the houses, the men, the students, the girls, the boys

# LESSON XI.

PRONOUNS
ein- *and* der- *words*
*as pronouns, forms*
*of pronouns*

A U S  *Was heißt und zu welchem*
*Ende studiert man Universalgeschichte?*

### F R I E D R I C H   S C H I L L E R

Anders ist der Studierplan, den sich der Brotgelehrte, anders
derjenige, den der philosophische Kopf sich vorzeichnet. Jener,
dem es bei seinem Fleiß einzig und allein darum zu tun ist,
die Bedingungen zu erfüllen, unter denen er zu seinem Amte
fähig und der Vorteile desselben teilhaftig werden kann, der      5
nur darum die Kräfte seines Geistes in Bewegung setzt, um
dadurch seinen sinnlichen Zustand zu verbessern und eine
kleinliche Ruhmsucht zu befriedigen — ein solcher wird beim
Eintritt in seine akademische Laufbahn keine wichtigere
Angelegenheit·haben, als die Wissenschaften, die er Brotstu-     10
dien nennt, von allen übrigen, die den Geist nur als Geist
vergnügen, auf das sorgfältigste abzusondern. Alle Zeit, die er
diesen letzteren widmete, würde er seinem künftigen Berufe
zu entziehen glauben und sich diesen Raub nie vergeben.
Seinen ganzen Fleiß wird er nach den Forderungen einrichten,   15
die von dem künftigen Herrn seines Schicksals an ihn gemacht
werden, und alles getan zu haben glauben, wenn er sich fähig

*Friedrich Schiller*     1759–1805

gemacht hat, diese Instanz nicht zu fürchten. Hat er seinen Kursus durchlaufen und das Ziel seiner Wünsche erreicht, so entläßt er seine Führerinnen — denn wozu noch weiter sie bemühen? Seine größte Angelegenheit ist jetzt, die zusammengehäuften Gedächtnisschätze zur Schau zu tragen und ja zu verhüten, daß sie in ihrem Wert nicht sinken. Jede Erweiterung seiner Brotwissenschaft beunruhigt ihn, weil sie ihm neue Arbeit zusendet oder die vergangene unnütz macht; jede wichtige Neuerung schreckt ihn auf, denn sie zerbricht die alte Schulform, die er sich so mühsam zu eigen machte, sie setzt ihn in Gefahr, die ganze Arbeit seines vorigen Lebens zu verlieren.

Wer hat über die Reformatoren mehr geschrieen als der Haufe der Brotgelehrten? Wer hält den Fortgang nützlicher Revolutionen im Reich des Wissens mehr auf als eben diese? Jedes Licht, das durch ein glückliches Genie, in welcher Wissenschaft es sei, angezündet wird, macht ihre Dürftigkeit sichtbar; sie fechten mit Erbitterung, mit Heimtücke, mit Verzweiflung, weil sie bei dem Schulsystem, das sie verteidigen, zugleich für ihr ganzes Dasein fechten. Darum kein unversöhnlicherer Feind, kein neidischerer Amtsgehilfe, kein bereitwilligerer Ketzermacher als der Brotgelehrte. Je weniger seine Kenntnisse durch sich selbst ihn belohnen, desto größerer Anerkennung bedarf er von außen; durch das Verdienst der Handarbeiter und das Verdienst der Geister hat er nur einen Maßstab, die Mühe. Darum hört man niemand über Undank mehr klagen als den Brotgelehrten; nicht bei seinen Gedankenschätzen sucht er seinen Lohn — seinen Lohn erwartet er von fremder Anerkennung, von Ehrenstellen, von Versorgung. Schlägt ihm dies fehl, wer ist unglücklicher als der Brotgelehrte? Er hat umsonst gelebt, gewacht, gearbeitet; er hat umsonst nach Wahrheit geforscht, wenn sich Wahrheit für ihn nicht in Gold, in Zeitungslob, in Fürstengunst verwandelt.

Beklagenswerter Mensch, der mit dem edelsten aller Werkzeuge, mit Wissenschaft und Kunst, nichts Höheres will und ausrichtet als der Tagelöhner mit dem schlechtesten! der im

Reiche der vollkommensten Freiheit eine Sklavenseele mit
55  sich herum trägt! — Noch beklagenswerter aber ist der junge
Mann von Genie, dessen natürlich schöner Gang durch schäd-
liche Lehren und Muster auf diesen traurigen Abweg verlenkt
wird, der sich überreden ließ, für seinen künftigen Beruf mit
dieser kümmerlichen Genauigkeit zu sammeln. Bald wird seine
60  Berufswissenschaft als ein Stückwerk ihn anekeln; Wünsche
werden in ihm aufwachen, die sie nicht zu befriedigen vermag,
sein Genie wird sich gegen seine Bestimmung auflehnen. Als
Bruchstück erscheint jetzt alles, was er tut, er sieht keinen
Zweck seines Wirkens, und doch kann er Zwecklosigkeit nicht
65  ertragen.

## WORTSCHATZ

ab-sondern  to separate
der Abweg, –e  wrong way
das Amt, –er  office, position
der Amtsgehilfe, –n, –n  office as-
    sistant
anders  different
an-ekeln  to disgust
die Anerkennung, –en  recogni-
    tion, approval
  von fremder Anerkennung
    from the approval of others
die Angelegenheit, –en  task
an-zünden  to ignite
auf-halten, ie, a, (ä)  to hold up
sich auf-lehnen  to rebel
auf-schrecken  to startle
auf-wachen (sein)  to awaken
aus-richten  to accomplish
die Bedingung, –en  requirement
befriedigen  to satisfy
beklagenswert  deplorable, pitia-
    ble

belohnen  to reward, compen-
    sate
bemühen  to trouble
bereitwillig  willing, eager
der Beruf, –e  profession, calling,
    occupation
die Bestimmung, –en  destiny
beunruhigen  to make uneasy
die Bewegung, –en  movement
der Brotgelehrte, –n, –n  scholar
    who studies solely for remu-
    neration
das Brotstudium, –studien  study
    for the purpose of earning a
    livelihood
das Bruchstück, –e  fragment
das Dasein  existence
die Dürftigkeit  insufficiency, pov-
    erty
edel  noble
die Ehrenstelle, –n  position of
    honor

eigen  own
  zu eigen machen  to make one's
  own, appropriate
ein-richten  to plan, arrange
der Eintritt, –e  entry
entlassen, ie, a, (ä)  to discharge
entziehen, o, o  to withdraw, detract from
die Erbitterung  animosity
erfüllen  to fulfill
erreichen  to attain
erwarten  to expect
die Erweiterung, –en  expansion
fähig  capable
fechten, o, o, (i)  to fight, struggle
fehl-schlagen, u, a, (ä)  to fail, come to nothing
der Feind, –e  enemy
der Fleiß  diligence
die Forderung, –en  demand
forschen  to search for, investigate
der Fortgang, ⁼e  progress
die Freiheit  freedom
fremd  strange
die Führerin, –nen  (female) leader
die Fürstengunst  royal favor
der Gang, ⁼e  course
der Gedächtnisschatz, ⁼e  treasure of the memory
die Gefahr, –en  danger
der Geist, –er  intellect
die Genauigkeit  exactness, precision
glücklich  propitious
der Handarbeiter, –  manual laborer

der Haufe, –ns, –n  host, mass, crowd
die Heimtücke  malice
die Instanz: diese Instanz nicht zu fürchten  of not fearing this authority
die Kenntnis, –sse  knowledge
der Ketzermacher, –  intolerant person, "witch hunter"
klagen  to complain
kleinlich  petty
die Kraft, ⁼e  power
künftig  future
die Kunst, ⁼e  art
der Kursus, die Kurse  course (of study)
die Laufbahn, –en  career
der Lohn, ⁼e  pay, remuneration
der Maßstab, ⁼e  criterion
die Mühe  effort
mühsam  painstakingly
das Muster, –  example
die Neuerung, –en  innovation
nützlich  useful
der Raub  robbery
das Reich, –e  realm
die Ruhmsucht  desire for fame
schädlich  harmful
die Schau  show
  zur Schau zu tragen  to display
das Schicksal, –e  fate
schreien, ie, ie  to cry, shout, scream
die Schulform  discipline, school training
das Schulsystem, –e  discipline, school system
sichtbar  visible

sinnlicher Zustand = materielle
  Lage  material condition
die Sklavenseele, –n  servile disposition
sorgfältig  careful
das Stückwerk, –e  patchwork
der Studierplan, ⸚e  plan of study
der Tagelöhner, –  day laborer
teilhaftig werden  to partake of,
  share in
traurig  sad
tun: dem es einzig und allein
  darum zu tun ist  whose sole
  purpose is
überreden  to persuade
übrig: die übrigen  the others
umsonst  in vain
der Undank  ingratitude
die Universalgeschichte, –n  universal history
unnütz  useless
unversöhnlich  irreconcilable
verbessern  to improve
das Verdienst, –e  merit
vergangen  past
sich vergeben, a, e, (i)  to forgive oneself
die Vergeltung, –en  recompense
vergnügen  to please, delight
verhüten  to forbid, prevent
verlenken  to lead astray
vermögen  to be able

die Versorgung, –en  appointment, post
verteidigen  to defend
verwandeln  to change, convert
die Verzweiflung  despair
vollkomen  perfect, complete
vorigen  former, previous
der Vorteil, –e  advantage
sich vor-zeichnen  to prescribe
  for oneself
das Werkzeug, –e  tool
die Wahrheit, –en  truth
wachen  to sit up, stay awake
der Wert, –e  value
wichtig  important
widmen  to dedicate
das Wirken  work
die Wissenschaft, –en  knowledge
der Wunsch, ⸚e  wish
das Zeitungslob  praise in the
  newspapers
zerbrechen, a, o, (i)  to destroy
das Ziel, –e  goal
zugleich  simultaneously
zusammengehäuft  gathered up,
  compiled
der Zustand, ⸚e  condition, cir-
  cumstance
der Zweck, –e  purpose
die Zwecklosigkeit  purposelessness, futility

# FRAGEN

1. Welche Bedingungen will der Brotgelehrte erfüllen?
2. Welchen Zustand will er verbessern?

3. Was will der Brotgelehrte aufs sorgfältigste absondern?
4. Welches Verlangen will der Brotgelehrte befriedigen?
5. Warum beunruhigt ihn jede Erweiterung seiner Brotwissenschaft?
6. Was zerbricht die alte Schulform, die er sich so mühsam zu eigen machte?
7. Wer hält den Fortgang nützlicher Revolutionen im Reich des Wissens auf?
8. Was macht die Dürftigkeit des Brotgelehrten sichtbar?
9. Wo sucht der Brotgelehrte seinen Lohn?
10. Wann hat der Brotgelehrte umsonst gelebt?
11. Wessen Seele ist eine Sklavenseele?
12. Wer ist noch beklagenswerter als der Brotgelehrte?
13. Was kann der junge Mann von Genie nicht ertragen?
14. Warum sieht er keinen Zweck seines Wirkens?
15. Warum ekelt ihn seine Berufswissenschaft an?

# MUSTERSÄTZE

*(Study Lesson XI in the Grammatical Appendix.)*

(XI, D)

1. **Jedes Licht, das angezündet wird, beunruhigt den Alten.**
   A. Each light that is lighted makes the old man uneasy.
   B. Each innovation that is introduced makes the old man uneasy.
   C. Each idea that is thought of makes the old man uneasy.
   D. All innovations that are introduced make him uneasy.

(XI, A, G)

2. **Wer hat über die Reformatoren mehr geschrieben als er?**
   A. Who has written more about the reformers than he?
   B. Who has written more about them than he?
   C. Who has written more about them than she?
   D. Who has written more about them than we?

(XI, D, E)

3. **Der ist beklagenswert, der nichts Höheres ausrichtet.**
    A. He is wretched who accomplishes nothing loftier.
    B. She is wretched who accomplishes nothing loftier.
    C. They are wretched who accomplish nothing loftier.
    D. Why is he wretched who accomplishes nothing loftier?

(XI, F)

4. **Wer nichts Höheres ausrichtet, ist beklagenswert.**
    A. He who accomplishes nothing loftier is wretched.
    B. He who accomplishes nothing better is wretched.
    C. He who accomplishes something loftier is not wretched.
    D. He who accomplishes something better is not wretched.

5. **Alles, was er tut, erscheint als Bruchstück.**
    A. Everything he does appears fragmentary.
    B. Much that he does appears fragmentary.
    C. Nothing that he does appears fragmentary.
    D. The best that he does appears fragmentary.

(XI, D)

6. **Jeder Mensch, der sein Ziel erreichen will, muß fleißig arbeiten.**
    A. Every person who wants to reach his goal must work diligently.
    B. Every person whose goal is difficult to attain must work diligently.
    C. Every person to whom a goal is given must work diligently.
    D. Every person whom I hire must work diligently.

(XI, D, E)

7. **Derjenige, der sein Ziel erreichen will, muß fleißig arbeiten.**
    A. The one who wants to reach his goal must work diligently.
    B. The one who wants to reach his goal we must help.
    C. The one who wants to reach his goal we must speak to.
    D. Those who want to reach their goal must work diligently.

(XI, G)

8. **Wen setzt jede Neuerung in Gefahr?**
   A. Whom does every innovation endanger?
   B. Whom has every innovation endangered?
   C. Whom will every innovation endanger?
   D. I don't know whom every innovation will endanger.

(XI, D)

9. **Der junge Mann, dessen Namen ich vergessen habe, steht an der Tür.**
   A. The young man whose name I have forgotten is at the door.
   B. The young lady whose name I have forgotten is at the door.
   C. The young girl whose name I have forgotten is at the door.
   D. The young men whose names I have forgotten are at the door.

(XI, B)

10. **Hier ist dein Mantel. Wo ist meiner?**
    A. Here is your coat. Where is mine?
    B. Here is your book. Where is mine?
    C. Here is your watch. Where is mine?
    D. Here are your books. Where are ours?

# ÜBUNGEN

I. Supply the personal pronoun:
der Mann, dem Manne, den Frauen, das Haus, die Häuser, die Frau, der Frau, dem Haus, den Häusern, den Damen, die Neuerung, den Brotgelehrten, dem Kopf, die Studenten

II. Supply the demonstrative pronoun:
der Mann, dem Manne, des Mannes, die Häuser, die Frau, der Frau, dem Haus, den Häusern, der Häuser, des Hauses

**III.** Supply the German word for *who:*

1. _____ hat das gesagt? Ich weiß nicht, _____ das gesagt hat.
   War es ein Mann, _____ das gesagt hat? Es war meine
   Schwester, _____ das gesagt hat. Nein, es war das Mädchen,
   _____ das gesagt hat. Es waren ja eigentlich zwei Mädchen,
   _____ das gesagt haben.
2. _____ das gesagt hat, der hat keine Ahnung, _____ ich bin.
   Und _____ sind Sie, wenn ich fragen darf? Sie wissen also
   auch nicht, _____ ich bin. Nun, ich bin der Polizist, _____
   den Mörder des Bürgermeisters verhaftet hat. Es war ja eigentlich kein Mörder, sondern eine Mörderin; denn es war eine alte
   Frau, _____ den Bürgermeister umgebracht hat.

**IV.** Supply the German word for *whose:*

1. Ist das der Mann, _____ Buch auf dem Tische liegt? _____
   Buch soll auf dem Tisch liegen?
2. Wo ist die Frau, _____ Mantel im Schrank hängt? Hilde ist
   nicht das Mädchen, _____ Mantel im Schrank hängt.
3. Das sind die Kinder, _____ Väter uns besuchen.
4. _____ Wagen steht vor der Tür?
5. Der junge Mann, _____ Schritte auf einen Abweg gelenkt
   werden, ist beklagenswert.

**V.** Supply the word for *whom:*

1. _____ haben Sie das Geld gegeben? Wie soll ich wissen,
   _____ er sein Geld gegeben hat. Ich weiß nur, daß ich nicht
   der Mann bin, _____ er es gegeben hat.
2. Die junge Dame, _____ er geholfen hat, ist eigentlich eine
   berühmte Tänzerin. _____ hat er geholfen?
3. _____ haben Sie in der Stadt getroffen? Können Sie nicht
   raten, _____ ich in der Stadt getroffen habe? War es Hans,
   _____ Sie getroffen haben? Nein, Hans war nicht der Mann,
   _____ ich getroffen habe.

**VI.** Supply both forms of the relative pronoun:

1. Seinen ganzen Fleiß wird er nach den Forderungen einrichten, _____ von dem künftigen Herrn an ihn gemacht werden.

2. Anders ist der Studierplan, _____ sich der Brotgelehrte, anders derjenige, _____ der philosophische Kopf sich vorzeichnet.

3. Anders sind die Studierpläne, _____ sich der Brotgelehrte, anders diejenigen, _____ der philosophische Kopf sich vorzeichnet.

4. Jedes Licht, _____ durch ein Genie angezündet wird, macht ihre Dürftigkeit sichtbar.

5. Alle Lichter, _____ durch ein Genie angezündet werden, machen ihre Dürftigkeit sichtbar.

**VII.** Supply the proper relative pronoun:

1. Als Bruchstück erscheint jetzt alles, _____ er tut.

2. _____ nie sein Brot mit Tränen aß, der weiß nicht, was ich leide.

3. Die alten Herren, _____ die ganze Stadt einen verdienten Lohn gegeben hat, freuen sich sehr.

4. Die Häuser, _____ von dem berühmten Architekten gebaut wurden, sind wirklich sehr schön.

5. Ist das das Beste, _____ Sie tun können?

6. Ich tue, _____ ich muß.

7. Die Häuser, _____ Fenster zerbrochen sind, werden bald zerstört.

8. Die Studenten, _____ wir Unterricht gegeben haben, machen gute Fortschritte.

**VIII.** Render into English the demonstrative or relative pronoun:

1. **Den** kenne ich schon lange. 2. **Derjenige, der** das gemacht hat, ist kein guter Mann. 3. **Diejenigen, die** uns helfen wollen, sollen mitkommen. 4. **Die** ist eine dumme Gans. 5. **Denen** gebe ich nichts. 6. **Dessen** bin ich sicher. 7. **Das** weiß jedes Kind. 8. **Den**

alten Mann, **der** nebenan wohnt, kenne ich sehr gut. 9. Beklagenswerter Mensch, **welcher** mit dem edelsten aller Werkzeuge nichts Höheres ausrichtet. 10. **Wer** nichts Höheres ausrichtet, ist beklagenswert.

**IX.** Supply the possessive pronoun or the **der**-*word* pronoun:

1. Mein Haus ist sehr alt. _____ (*his*) ist ganz neu.
2. Jener Wagen gefällt mir gar nicht, und _____ (*this one*) auch nicht.
3. Wir tun unsere Pflicht, und sie tun _____ (*theirs*).
4. Meinem Bruder habe ich ein Glas Milch gegeben. _____ (*Her*) habe ich ein Stück Kuchen gegeben.
5. Der Staat und das Volk. _____ (*The former*) regiert und _____ (*the latter*) gehorcht.

**X.** Supply the reflexive or the intensifying pronoun:

1. Er hat _____ einen neuen Wagen gekauft.
2. Er widmete _____ dem Studium.
3. Er hat seinen Wagen _____ gefahren.
4. _____ der Arzt hat das nicht gewußt.
5. Ich habe mir _____ die Hände gewaschen.

# LESSON XII.

ADJECTIVES
ein- *and* der- *words,*
*adjective endings,*
*adjective nouns,*
*cases with*
*adjectives*

A U S  *Tristan*

T H O M A S   M A N N

Ozon und stille, stille Luft . . . für Lungenkranke ist „Einfried", was Doktor Leanders Neider und Rivalen auch sagen
mögen, aufs wärmste zu empfehlen. Aber es halten sich nicht
nur Phthisiker, es halten sich Patienten aller Art, Herren,
Damen und sogar Kinder, hier auf; Doktor Leander hat auf     5
den verschiedensten Gebieten Erfolge aufzuweisen. Es gibt
hier gastrisch Leidende, wie die Magistratsrätin Spatz, die
überdies an den Ohren krankt, Herrschaften mit Herzfehlern,
Paralytiker, Rheumatiker und Nervöse in allen Zuständen. Ein
diabetischer General verzehrt hier unter immerwährendem    10
Murren seine Pension. Mehrere Herren mit entfleischten
Gesichtern werfen auf jene unbeherrschte Art ihre Beine, die
nichts Gutes bedeutet. Eine fünfzigjährige Dame, die Pastorin
Höhlenrauch, die neunzehn Kinder zur Welt gebracht hat und
absolut keines Gedankens mehr fähig ist, gelangt dennoch    15

*Tristan* by Thomas Mann - taken from Thomas Mann *Erzählungen*, S.
Fischer Verlag, Frankfurt am Main, - © Katharina Mann.

*Thomas Mann*     1875–1955
NOBELPREIS FÜR LITERATUR 1929

nicht zum Frieden, sondern irrt, von einer blöden Unrast getrieben, seit einem Jahre bereits am Arm ihrer Privatpflegerin starr und stumm, ziellos und unheimlich durch das ganze Haus.

Dann und wann stirbt jemand von den „Schweren", die in    20 ihren Zimmern liegen und nicht zu den Mahlzeiten noch im Konversationszimmer erscheinen, und niemand, selbst der Zimmernachbar nicht, erfährt etwas davon. In stiller Nacht wird der wächserne Gast beiseite geschafft, und ungestört nimmt das Treiben in „Einfried" seinen Fortgang, das Mas-    25 sieren, Elektrisieren und Injizieren, das Duschen, Baden, Tur- nen, Schwitzen und Inhalieren in den verschiedenen mit allen Errungenschaften der Neuzeit ausgestatteten Räumlichkei- ten . . .

Ja, es geht lebhaft zu hierselbst. Das Institut steht in Flor.    30 Der Portier, am Eingange des Seitenflügels, rührt die große Glocke, wenn neue Gäste eintreffen, und in aller Form geleitet Doktor Leander, zusammen mit Fräulein von Oster- loh, die Abreisenden zum Wagen. Was für Existenzen hat „Einfried" nicht schon beherbergt! Sogar ein Schriftsteller    35 ist da, ein exzentrischer Mensch, der den Namen irgendeines Minerals oder Edelsteins führt und hier dem Herrgott die Tage stiehlt . . .

Übrigens ist, neben Herrn Doktor Leander, noch ein zweiter Arzt vorhanden, für die leichten Fälle und die Hoffnungslosen.    40 Aber er heißt Müller und ist überhaupt nicht der Rede wert.

## WORTSCHATZ

**ab-reisen (sein)**   to depart
**die Art, −en**   way, manner
**der Arzt, ⸚e**   physician
**sich auf-halten, ie, a, (ä)**   to stay, reside
**auf-weisen, ie, ie**   to show, ex- hibit

**aus-statten**   to equip
**das Baden**   bathing
**beherbergen**   to shelter, lodge
**das Bein, −e**   leg
**beiseite schaffen**   to remove, take away
**bereits**   already

blöde  idiotic
das Duschen  showering
der Edelstein, –e  gem
der Eingang, ⁼e  entrance
ein-treffen, a, o, (i) (sein)  to
arrive
das Elektrisieren  electric shock
treatment
empfehlen, a, o, (ie)  to recommend
entfleischt  emaciated
erfahren, u, a, (ä)  to learn, find
out
der Erfolg, –e  success
die Errungenschaft, –en  achievement
erscheinen, ie, ie (sein)  to appear
die Existenz, –en: was für Existenzen  what a variety of
beings
exzentrisch  eccentric
fähig  capable
der Fall, ⁼e  case
der Flor  bloom
in Flor stehen  to prosper, to
flourish
der Fortgang: Fortgang nehmen
to continue
der Friede, –ns, –n  peace
führen  to carry, have
gastrisch  gastric
das Gebiet, –e  domain, area,
field
der Gedanke, –ns, –n  thought
gelangen zu (etwas)  to attain
geleiten  to conduct, escort
die Herrschaften (plural)  ladies
and gentlemen

der Herzfehler, –  heart disease
immerwährend  perpetual
das Inhalieren  inhaling
das Injizieren  injecting
irren  to wander, ramble
lebhaft  lively
leiden, i, i  to suffer
lungenkrank  tubercular
die Magistratsrätin, –nen  municipal councilor's wife
die Mahlzeit, –en  meal
das Murren  grumbling
der Neider, –  envier
das Ozon  ozone
der Phthisiker, –  phthisic person, person with tuberculosis
der Portier, –  doorman
die Privatpflegerin, –nen  private
nurse
die Räumlichkeiten  premises
die Rede, –n  talk, speech
der Rivale, –n, –n  rival
rühren  to set in motion
der Schriftsteller, –  writer
das Schwitzen  sweating
der Seitenflügel, –  side wing
starr  rigid, wooden
stumm  silent, mute
das Turnen  gymnastics
das Treiben  activity, bustle
überdies  moreover
überhaupt  at all
übrigens  moreover, by the way
unbeherrscht  uncontrolled
ungestört  undisturbed
unheimlich  uncanny, weird
die Unrast  restlessness
verschieden  different, various

| | |
|---|---|
| **verzehren** use up | **der Zimmernachbar, –n** person |
| **vorhanden** on hand, present | in the neighboring room |
| **wächsern** waxen | **zu-gehen, ging zu, zugegangen** |
| **wert** worth, worthy | **(sein)**: **es geht lebhaft zu** |
| **er ist nicht der Rede wert** he | things are lively |
| is not worth mentioning | **zusammen** together |
| **ziellos** aimless | **der Zustand, ̈-e** condition |

# FRAGEN

1. Für wen ist „Einfried" zu empfehlen?
2. Wer hält sich hier auf?
3. Auf welchen Gebieten hat Dr. Leander Erfolge aufzuweisen?
4. Woran leidet die Magistratsrätin Spatz?
5. Was macht der diabetische General?
6. Was bedeutet nichts Gutes für die Herren mit den entfleischten Gesichtern?
7. Wie alt ist die Pastorin Höhlenrauch?
8. Wieviele Kinder hat sie zur Welt gebracht?
9. Was kann sie jetzt nicht mehr tun?
10. Warum erfahren die Gäste nichts vom Tode eines „Schweren"?
11. Wann wird der tote Patient weggebracht?
12. Was macht der Portier, wenn neue Gäste eintreffen?
13. Wer geleitet die Abreisenden zum Wagen?
14. Was für einen Namen führt der exzentrische Schriftsteller?
15. Wer ist Dr. Müller?
16. Was hält der Erzähler von Dr. Müller?

# MUSTERSÄTZE

*(Study Lesson XII in the Grammatical Appendix.)*

(XII, B, 1, *d*)

1. **Die Dame ist alt.**
   A. The lady is old.

B. The ladies are old.

C. The ladies have grown old.

D. Have the ladies grown old?

(XII, B, 1, *a*)

2. **Ein zweiter Arzt ist vorhanden.**

A. A second physician is present.

B. His second physician is present.

C. His new physician is present.

D. No new physician is present.

(XII, B, I, *b*)

3. **Der zweite Arzt heißt Müller.**

A. The second physician's name is Müller.

B. The new physician's name is Müller.

C. The young physician's name is Müller.

D. This young physician's name is Müller.

4. **Er geleitet den stummen Gast zum Wagen.**

A. He is escorting the silent guest to the car.

B. He escorts every silent guest to the car.

C. He has escorted every silent guest to the car.

D. Has he escorted every silent guest to the car?

5. **Die alte Dame irrt durch das Haus.**

A. The old lady rambles through the house.

B. The old lady rambles about.

C. An old lady rambles about.

D. A sick lady rambles about.

6. **Neue Gäste treffen heute ein.**

A. New guests are arriving today.

B. New patients are arriving today.

C. Suffering patients are arriving today.

D. Many suffering patients are arriving today.

(XII, B, 2)

7. **Es sind Leidende.**
    A. They are suffering people.
    B. Those are suffering people.
    C. Are those suffering people?
    D. Are those lung patients?

8. **Dann und wann stirbt jemand von den „Schweren."**
    A. Now and then one of the seriously ill patients dies.
    B. Now and then one of the seriously ill patients has died.
    C. Yesterday one of the seriously ill patients died.
    D. Did one of the seriously ill patients die?

9. **Das bedeutet nichts Gutes.**
    A. That doesn't mean anything good.
    B. That means something good.
    C. Does that mean something good?
    D. Does that mean something new?

(XIII, C, *b*)

10. **Sie ist keines Gedankens mehr fähig.**
    A. She is no longer capable of thinking.
    B. Dr. Leander is no longer capable of thinking.
    C. We are no longer capable of thinking.
    D. We are no longer supposed to be capable of thinking.

11. **Er ist nicht der Rede wert.**
    A. He isn't worth talking about.
    B. He wasn't worth talking about.
    C. They weren't worth talking about.
    D. They won't be worth talking about.

(XII, B, 1, *b*, *c*)

12. **Alte Herren halten sich hier auf.**
    A. Old gentlemen are staying here.
    B. Several old gentlemen are staying here.

c. Several sick old gentlemen are staying here.
d. The sick old gentlemen are staying here.

## Ü B U N G E N

**I.** Identify the case, number, and (if singular) the gender of each of the boldface adjectives and adjective-nouns in the following sentences:

1. Er hat auf **verschiedenen** Gebieten Erfolge aufzuweisen.
2. Hier gibt es **Nervöse** in **allen** Zuständen.
3. Ein **diabetischer** General verzehrt unter **immerwährendem** Murren seine Pension.
4. **Mehrere** Herren werfen auf jene **unbeherrschte** Art ihre Beine.
5. Das bedeutet nichts **Gutes.**
6. Eine **fünfzigjährige** Dame hat neunzehn Kinder zur Welt gebracht.
7. Nun ist sie absolut **keines** Gedankens mehr **fähig.**
8. Sie irrt, von einer **blöden** Unrast getrieben, durch das Haus.
9. Dann und wann stirbt jemand von den „**Schweren.**"
10. In **stiller** Nacht wird der **wächserne** Gast beiseite geschafft.
11. Wenn **neue** Gäste eintreffen, rührt der Portier die **große** Glocke.
12. In aller Form geleitet Dr. Leander den **Abreisenden** zum Wagen.
13. Sogar ein **exzentrischer** Schriftsteller ist dort, der den Namen **irgendeines** Minerals führt.
14. Es ist noch ein **zweiter** Arzt vorhanden.
15. Er ist für die **Hoffnungslosen** da.

**II.** Supply the correct adjectives:

1. Der Arzt ist _____ (*silent*).
2. Ist die Dame immer noch _____ (*ill*)?
3. _____ (*Quiet*) wird die Luft.
4. War es Ihnen aber nicht zu _____ (*quiet*)?

5. Ihre Privatpflegerin sieht schon _____ (*idiotic*) aus.
6. Der Schriftsteller soll sehr _____ (*eccentric*) geworden sein.
7. Seine Krankheit wird wohl sehr _____ (*mild*) gewesen sein.
8. Allerlei Patienten sind hier _____ (*sheltered*).
9. Die Gesichter der Kranken waren _____ (*emaciated*).
10. Bist du schon wieder des Laufens _____ (*capable*)?

III. Supply the nominative singular adjective endings:

1. ein gut_____ Wein; gut_____ Wein; dies_____ Wein; dies_____ gut_____ Wein.
2. keine still_____ Luft; still_____ Luft; dies_____ Luft; dies_____ still_____ Luft.
3. Ihr kalt_____ Wetter; kalt_____ Wetter; dies_____ Wetter; dies_____ kalt_____ Wetter.

IV. Supply the genitive singular adjective endings:

1. wegen dies_____ gut_____ Weines; wegen ein_____ gut_____ Weines; wegen gut_____ Weines; wegen dies_____ Weines.
2. wegen dies_____ frisch_____ Luft; wegen unser_____ frisch_____ Luft; wegen frisch_____ Luft; wegen dies_____ Luft.
3. wegen dies_____ schön_____ Wetters; wegen unser_____ schön_____ Wetters; wegen schön_____ Wetters; wegen dies_____ Wetters.

V. Supply the dative singular adjective endings:

1. von gut_____ Wein; von dies_____ Wein; von dies_____ gut_____ Wein; von ein_____ gut_____ Wein.
2. in still_____ Nacht; in dies_____ Nacht; in dies_____ still_____ Nacht; in ein_____ still_____ Nacht.
3. bei kalt_____ Wetter; bei dies_____ Wetter; bei dies_____ kalt_____ Wetter; bei unser_____ kalt_____ Wetter.

VI. Supply the accusative singular adjective endings:

1. für ein_____ alt_____ Wein; für alt_____ Wein; für dies_____ Wein; für dies_____ alt_____ Wein.

2. durch eine schwer_____ Arbeit; durch schwer_____ Arbeit; durch jed_____ Arbeit; durch jed_____ schwer_____ Arbeit.
3. gegen unser kalt_____ Wetter; gegen kalt_____ Wetter; gegen solch_____ Wetter; gegen solch_____ kalt_____ Wetter.

**VII.** Supply the plural adjective endings:

1. Es sind leidend_____ Herren; dies_____ Herren; dies_____ leidend_____ Herren; kein_____ leidend_____ Herren.
2. Es sind die Krankheiten stumm_____ Patienten; dies_____ Patienten; dies_____ stumm_____ Patienten; unser_____ stumm_____ Patienten.
3. Er spricht von neu_____ Gästen; von dies_____ Gästen; von dies_____ neu_____ Gästen; von kein_____ neu_____ Gästen.

**VIII.** Render into German, using a single adjective-noun for the boldface expressions:

1. **Suffering people** of all kinds stay here.
2. The **lady with a lung disease** is wandering through the rooms.
3. Dr. Leander was accompanying the **departing people** to the car.
4. Every day many **seriously ill people** arrive.
5. Did you find out **anything new?**
6. He didn't say **anything idiotic.**
7. Yesterday we heard about **something strange.**
8. Because of the **hopelessly ill patients** we have a second physician.

# LESSON XIII.

*Comparison of
adjectives and
adverbs, equality
and difference*

A U S *Pupsik*

## W E R N E R   B E R G E N G R U E N

Es war Mondschein, aber ein schwacher. Mein Blick fiel
zuerst auf die Glaskugel im Rosenbeet. Sie schien voller und
heller zu strahlen als sonst, und ich erinnere mich, daß sich
mir der Vergleich mit einer silbernen Frucht aufdrängte. Im
nächsten Augenblick aber wunderte ich mich über ihren       5
Standort; denn sie befand sich nicht an ihrer gewöhnlichen
Stelle, sondern vielleicht acht Schritte weiter nach rechts und
zugleich dem Erdboden näher als sonst. Dann aber wurde mir
klar, daß dies ja gar nicht die Glaskugel war, sondern ein viel
kleinerer Gegenstand, der nur durch seine schimmernde Hellig-   10
keit eine ihm nicht eigene Ausdehnung vorgetäuscht hatte. Ich
sah schärfer hin und gewahrte nun, daß jenes Glänzende nur
einen Teil einer umfänglicheren Erscheinung bildete. Plötzlich erkannte ich die Gestalt eines unbeweglich dastehenden
Mannes. Er stützte sich mit beiden Händen auf einen Säbel,   15

From *Der letzte Rittmeister* by Werner Bergengruen (Zurich: Verlag AG
"Die Arche"). Reprinted by permission of the publisher.

*Werner Bergengruen*     1892–1964

WILHELM–RAABE–PREIS 1947

und was ich anfangs für die Glaskugel genommen hatte, das war das Portepee, das im Licht der Bahnlaternen schimmerte.
„Das ist ja Pupsik!" rief ich.
Meine Mutter nickte. Sie war jetzt ruhiger geworden.
„Vielleicht täuschen wir uns", sagte sie.                                         20
Obwohl ich mich fürchtete und am liebsten im Hause geblieben wäre, ging ich hinaus. Von der Veranda sah ich Pupsik mit der gleichen Deutlichkeit wie aus dem Fenster, und ebenso war es, als ich auf die von der Veranda in den Garten führenden Stufen kam. Kaum aber hatte ich den      25
Garten betreten, da war alles verschwunden.
Nun machten meine Mutter und ich noch mehrfach die Probe. Es blieb so, daß die Gestalt vom Fenster, von der Veranda und von den Stufen aus mit aller Deutlichkeit zu erblicken war. Ging man aber näher hinzu, so war sie     30
verschwunden.

# WORTSCHATZ

**anfangs**  at the beginning, at first
**auf-drängen**  to force
  **sich einem auf-drängen**  to force itself upon one
**der Augenblick, –e**  moment
**die Ausdehnung, –en**  size, dimension
**die Bahnlaterne, –n**  railroad lamp
**sich befinden, a, u**  to be
**betreten, a, e, (i)**  to enter
**bilden**  to form
**der Blick, –e**  gaze, glance
**da-stehen, a, a**  to stand there
**deutlich**  clear
**die Deutlichkeit**  clarity
**der Drehorgelmann**  organ-grinder

**eigen**  own, peculiar to
**der Erdboden, ⸗**  ground
**sich erinnern (an)**  to remember
**erkennen, erkannte, erkannt**  to recognize
**die Erscheinung, –en**  image, appearance, phenomenon
**fallen, ie, a, (ä) (sein)**  to fall
**die Frucht, ⸗e**  fruit
**sich fürchten**  to be afraid
**der Gegenstand, ⸗e**  object
**die Gestalt, –en**  form, figure
**gewahren**  to become aware
**gewöhnlich**  usual
**glänzen**  to shine
**die Glaskugel, –n**  glass ball
**gleich**  same
**hell**  bright

die **Helligkeit** brightness
**kaum** hardly, scarcely
**klar** clear
**mehrfach** several times
der **Mondschein** moonlight
**nah** close, near
**nicken** to nod
**obwohl** although
**plötzlich** sudden
das **Portepee** sword knot, frog
die **Probe, –n** test
**rechts** to the right
das **Rosenbeet, –e** bed of roses
**ruhig** calm
der **Säbel, –** saber
**scharf** sharp
**scheinen, ie, ie** to seem, appear
**schimmern** to gleam, glimmer
der **Schritt, –e** step, pace
**schwach** weak
**silbern** silvery
**sonst** otherwise, usual
der **Standort, –e** position

die **Stelle, –n** position, place
**strahlen** to shine, radiate
die **Stufen** steps
sich **stützen** to support oneself
sich **täuschen** to deceive oneself, to be deceived
der **Teil, –e** part
**teil-nehmen, a, o, (i)** to take part
**umfänglich** extensive
**unbeweglich** motionless
der **Vergleich, –e** comparison
**verschwinden, a, u (sein)** to disappear
**vielleicht** perhaps
**voll** full
**vor-täuschen** to give an illusion of
**weit** far
sich **wundern** to be surprised, amazed
**zuerst** at first
**zugleich** at the same time

# FRAGEN

1. Worauf fiel der Blick des Erzählers zuerst?
2. Was schien voller und heller zu strahlen als sonst?
3. Welcher Vergleich drängte sich dem Erzähler auf?
4. Worüber wunderte sich der Erzähler?
5. Was befand sich nicht an der gewöhnlichen Stelle?
6. Was gewahrte der Erzähler, als er schärfer hinsah?
7. Was für eine Gestalt erkannte er plötzlich?
8. Worauf stützte sich der Mann mit beiden Händen?
9. Was sah der Erzähler von der Veranda aus?
10. Wann war alles verschwunden?
11. Was geschah, wenn man näher hinzuging?
12. Wer machte mehrfach die Probe?

# MUSTERSÄTZE
(*Study Lesson XIII in the Grammatical Appendix.*)

## (XIII, A, 2, D)

1. **Sie war fünf Jahre älter als ich.**
   A. She was five years older than I.
   B. She was five years younger than I.
   C. She was five years younger than he.
   D. They were five years younger than he.

## (XIII, A, 2)

2. **Ich bin der ältere.**
   A. I am the older one.
   B. She is the older one.
   C. We are the older ones.
   D. We are the younger ones.

3. **Es war ein viel kleinerer Gegenstand.**
   A. It was a much smaller object.
   B. It was a much larger object.
   C. It was a much brighter object.
   D. It was a much sharper object.

## (XIII, A, 3)

4. **Das sind die ältesten.**
   A. Those are the oldest ones.
   B. Those are the youngest ones.
   C. Those are the most beautiful ones.
   D. Those are the prettiest ones.

## (XIII, A, 4)

5. **Die Operette wurde in den meisten Städten gegeben.**
   A. The operetta was given in most cities.
   B. The operetta was given in most countries.

    C. The operetta was given in most theaters.

    D. The operetta was given in the best theaters.

(XIII, C)

6. **Sie ist so alt wie meine Schwester.**

    A. She is as old as my sister.

    B. She is not so old as my sister.

    C. She is three times as old as my sister.

    D. She is three times as old as I.

(XIII, D)

7. **Diesmal dauerte es länger als sonst.**

    A. This time it lasted longer than usual.

    B. This time it didn't last longer than usual.

    C. This time it lasted much longer than usual.

    D. This time it didn't last much longer than usual.

(XIII, B, 1)

8. **Sie schien heller zu strahlen als sonst.**

    A. It seemed to shine more brightly than usual.

    B. It seemed to be brighter than usual.

    C. It seemed to get brighter than usual.

    D. Did it seem to get brighter than usual?

(XIII, B, 4)

9. **Mein Vater hörte das nicht gern.**

    A. My father didn't like to hear that.

    B. My father didn't like to see that.

    C. My father didn't like to see that.

    D. My father wouldn't have liked to see that.

10. **Sie beschränkte sich am liebsten darauf.**

    A. She liked most of all to limit herself to that.

    B. She preferred to limit herself to that.

    C. She liked to limit herself to that.

    D. She limited herself to that.

(XIII, D)

11. **Es war weiter nach rechts als sonst.**
    A. It was further to the right than usual.
    B. It was higher up than usual.
    C. It was further back than usual.
    D. It was further away than usual.

(XIII, B, 3, c)

12. **Es kommt höchstens auf dem Balkan vor.**
    A. At most it will happen in the Balkans.
    B. At most it will happen in Russia.
    C. Usually it happens in Russia.
    D. Usually it happens in Germany.

# Ü B U N G E N

**I.** Express or deny equality, using the boldface adjective with
**so . . . wie.**

*Example:* **Sie ist *jung.* Ihre Schwester ist es auch.**
**Ihre Schwester ist so jung wie sie.**

1. Der Offizier war **klein.** Sie war es auch.
2. Dein Bruder ist **groß.** Du bist es nicht.
3. Diese Wohnung ist **hübsch.** Unsere ist es auch.
4. Die Melodie ist **alt.** Der Drehorgelmann ist es auch.
5. Ihre Augen sehen **lebhaft** aus. Seine sehen auch so aus.

**II.** Express comparison, using the boldface adjective with **als.**

*Example:* **Sie ist nicht so *jung* wie ihre Schwester.**
**Ihre Schwester ist jünger als sie.**

1. Sie war nicht so **klein** wie der Offizier. 2. Dein Bruder ist nicht
so **groß** wie du. 3. Unsere Wohnung ist nicht so **hübsch** wie diese.
4. Die Melodie ist nicht so **alt** wie der Drehorgelmann. 5. Ihre
Augen sehen nicht so **lebhaft** aus wie seine.

**III.** Answer the questions.

*Example:* **Ist sein Bruder älter als er?**
**Ja, sein Bruder ist der ältere.**

1. Ist Pupsik älter als du? 2. Ist Pupsik größer als er? 3. Ist dieses
Buch besser als jenes? 4. Ist dieses Buch interessanter als jenes?
5. Ist Karl kleiner als Inge? 6. Sind diese Straßen länger als jene?
7. Sind diese Straßen dunkler als jene? 8. Ist Karl ruhiger als ich?
9. Sind diese Kinder größer als unsere? 10. Sind diese Kinder lebhafter als unsere?

**IV.** Answer the questions as indicated in the example.

*Example:* **Ist er ein alter Mann?**
**Ja, er ist der älteste Mann, den ich je gesehen habe.**

1. Ist es ein interessantes Buch? 2. Ist sie ein hübsches Mädchen?
3. Sind das ruhige Kinder? 4. Ist er ein kleiner Offizier? 5. Sind
Sie ein lebhafter Mensch? 6. Ist das eine alberne Operette? 7. Sind
das hohe Berge? 8. Hat er traurige Augen? 9. Hat er schwärmerische
Augen? 10. Wohnt er in einem großen Haus?

**V.** Restate, replacing the boldface words with comparative
forms:

1. Im Garten machte sie sich **gern** zu schaffen. 2. Diesmal dauerte
es **lang**. 3. An diesem Abend strahlte die Glaskugel **hell**. 4. **Weit**
nach rechts stand ein Mensch. 5. Er kam **oft** zu uns. 6. Mit ihren
frischen Farben sah sie **gut** aus. 7. Die Mutter war **ruhig**. 8. Er
wäre **gern** im Haus geblieben. 9. Er sah **scharf** hin. 10. Pupsik ist
mir **genau** im Gedächtnis geblieben.

**VI.** Restate the above sentences, replacing the boldface words
with the superlative form.

# LESSON XIV.

*Prepositions,
adverbial preposi-
tional compounds*

AUS *Die Fremde*

## ARTHUR SCHNITZLER

Ein Sommermorgen von dunkelblauer Klarheit und vor-
zeitiger Schwüle lag über der Stadt. Albert ging geradeaus fort.
Er war noch nicht hundert Schritte weit vom Hotel entfernt,
als er Katharinas Gestalt vor sich erblickte. Sie hielt ihren
grauseidenen Sonnenschirm in der Hand und ging langsam      5
des Weges. Die erste Regung Alberts war, in eine andere
Straße abzubiegen; aber eine Macht, die heftiger war als alle
seine Vorsätze und Überlegungen, drängte ihn, ihr zu folgen,
um sich nun doch die Gewißheit zu verschaffen, der er vor
einer Minute noch mit Gleichgültigkeit gegenüberzustehen    10
geglaubt hatte. Er bekam sogar einige Angst, daß sie sich um-
wenden und ihn entdecken könnte. Sie nahm den Weg dem
Hofgarten zu, er hielt sich in gemessener Entfernung. Jetzt
war sie bei der Hofkirche angelangt, deren Tor offenstand.

---

*Die Fremde* by Arthur Schnitzler - taken from Arthur Schnitzler *Gesammelte
Werke, Die erzählenden Schriften, Erster Band* - © 1961 by S. Fischer Verlag,
Frankfurt am Main.

15  Sie trat ein. Albert folgte ihr nach einigen Augenblicken. Er
blieb in der Nähe des Eingangs im tiefsten Schatten stehen;
er sah, wie Katharina langsam durch das Mittelschiff zwischen
den dunklen Bildsäulen der Helden und Königinnen hindurch-
schritt. Plötzlich hielt sie inne. Albert entfernte sich von dem
20  Platz, wo er bisher gewartet, und schlich in einem weiten
Bogen hinter das Grabmal des Kaisers Maximilian, das gewaltig in der Mitte der Kirche ragte. Katharina stand regungslos
vor der Statue des Theoderich. Die Linke auf den Degen
gestützt, blickte der erzene Held wie aus ewigen Augen vor
25  sich hin. Seine Haltung war von erhabener Müdigkeit, als sei
er sich zugleich der Größe und der Zwecklosigkeit seiner Taten
bewußt und als ginge sein ganzer Stolz in Schwermut unter.
Katharina stand vor der Bildsäule und starrte dem Gotenkönig
ins Antlitz. Albert blieb einige Zeit in der Verborgenheit, dann
30  wagte er sich vor. Sie hätte die Schritte hören müssen, aber
sie wandte sich nicht um; wie gebannt blieb sie auf derselben
Stelle, Leute kamen in die Kirche, Fremde mit roten Reise-
büchern, man sprach neben ihr, hinter ihr, sie hörte nicht. Es
wurde eine Weile stiller, Katharina stand wie früher, in ihrer
35  Bewegungslosigkeit selber einer Bildsäule gleich. Eine neue
Viertelstunde und wieder eine vergingen, Katharina rührte
sich nicht.

Albert ging. Am Ausgang wandte er sich noch einmal um;
da sah er, wie Katharina nahe an die Statue herangetreten war
40  und mit ihren Lippen den erzenen Fuß berührte. Eilig entfernte sich Albert. Er lächelte. Ein Einfall kam ihm, der ihn
mit einer Art von Rührung erfüllte und dessen er sich freute.
Nun hatte er noch etwas für die Geliebte zu tun, bevor er
dahinging. Er nahm den Weg zu einer Kunsthandlung in der
45  Bahnhofstraße; dort fragte er, ob eine Bronzenachahmung des
Theoderich in natürlicher Größe zu beschaffen sei. Ein Zufall
wollte es, daß eine solche vor einem Monat fertig geworden
war; der Besteller, ein Lord, war gestorben, und die Erben
weigerten sich, das Kunstwerk zu übernehmen. Albert fragte
50  nach dem Preis. Er entsprach ungefähr dem Rest seines Ver-

mögens. Albert gab seine Wiener Adresse an und erteilte
genaue Weisung, in welcher Art ein Vertrauensmann der
Firma die Aufstellung im Garten des Häuschens besorgen
sollte. Dann empfahl er sich, eilte durch die Stadt, nahm den
Weg durch die Vorstadt Wilten gegen Igls zu, und im Wäld-     55
chen erschoß er sich, gerade als die Sonne Mittag zeigte.

## WORTSCHATZ

ab-biegen, o, o  to turn
an-langen  to arrive
das Antlitz, –e  face
die Aufstellung, –en  setting up
der Ausgang, ⁓e  exit
berühren  to touch
beschaffen  to procure
besorgen  to take care of
der Besteller, –  client
die Bewegungslosigkeit  motionlessness
bewußt  aware of
die Bildsäule, –n  statue
der Bogen, ⁓  arc
die Bronzenachahmung, –en
  copy in bronze
dahin-gehen, ging dahin, dahin-
  gegangen (sein)  to leave
der Degen, –  sword
drängen  to force, compel
eilen  to hurry
eilig  hurried, quick
der Einfall, ⁓e  idea
der Eingang, ⁓e  entrance
ein-treten, a, e, (i) (sein)  to
  enter
sich empfehlen, a, o, (ie)  to take
  leave

entdecken  to discover
entfernen  to remove
die Entfernung, –en  distance
entsprechen, a, o, (i)  to correspond to
der Erbe, –en, –en  heir
erblicken  to see, catch sight of
erfüllen  to fill
erhaben  sublime
erschießen, o, o  to shoot to
  death
erteilen  to give
erzen  of bronze
gebannt  glued to the spot
gemessen  measured
die Gestalt, –en  shape, figure,
  form
gewaltig  powerful
die Gewißheit  certainty
gleich  like, similar to
die Gleichgültigkeit  indifference
der Gotenkönig, –e  King of the
  Goths
das Grabmal, ⁓er  tombstone
grauseiden  of gray silk
die Größe  greatness, size
die Haltung, –en  posture, bearing

heftig  strong
der Held, –en, –en  hero
heran-treten, a, e, (i) (sein)  to approach
hindurch-schreiten, i, i (sein)  to walk through
Igls  (name of a suburb of Innsbruck)
inne-halten, ie, a, (ä)  to stop
die Kunsthandlung, –en  art shop
das Kunstwerk, –e  work of art
die Linke  left hand
die Macht, ⸚e  power
das Mittelschiff, –e  central nave
die Müdigkeit  weariness
die Nähe  vicinity
ragen  to tower
die Regung, –en  reaction, impulse
regungslos  motionless
das Reisebuch, ⸚er  guidebook
sich rühren  to move
die Rührung, –en  emotion
der Schatten, –  shadow
schleichen, i, i (sein)  to creep
die Schwermut  melancholy
die Schwüle  heaviness, sultriness
der Sonnenschirm, –e  parasol
starren  to stare
der Stolz  pride
stützen  to support
die Tat, –en  deed

das Tor, –e  gate
sich um-wenden, wandte um, umgewandt  to turn around
unter-gehen, i, a (sein)  to sink, perish
die Überlegung, –en  reflection
ungefähr  approximately
die Verborgenheit  hiding
vergehen, i, a (sein)  to pass
das Vermögen, –  financial resources
verschaffen  to procure
der Vertrauensmann, –leute  agent
der Vorsatz, ⸚e  resolution
die Vorstadt, ⸚e  suburb
sich vor-wagen  to dare to go forward
vorzeitig  early, premature
das Wäldchen, –  small wooded area, grove
sich weigern  to refuse
die Weile, –n  while, time
die Weisung, –en  instruction
Wilten  (name of a suburb of Innsbruck)
zeigen  to show, indicate
der Zufall, ⸚e  coincidence, chance
zugleich  simultaneously
die Zwecklosigkeit  purposelessness

# FRAGEN

1. Wie weit war Albert vom Hotel entfernt, als er Katharina erblickte?
2. Was hielt Katharina in der Hand?

3. Was war Alberts erste Regung?
4. Wovor hatte er einige Angst?
5. Wohin ging Katharina?
6. Wo hielt Katharina plötzlich inne?
7. Was für Leute kamen in die Kirche herein?
8. Wie lange stand Katharina vor der Statue, bevor Albert ging?
9. Wohin ging Albert?
10. Was wollte er dort?
11. Wie kam es, daß der Kunsthändler eine solche Statue hatte?
12. Welchen Preis zahlte Albert für die Statue?
13. Welche Adresse hat Albert angegeben?
14. Wohin ging Albert, nachdem er die Kunsthandlung verlassen hatte?
15. Was hat Albert im Wäldchen getan?

# MUSTERSÄTZE

(*Study Lesson XIV in the Grammatical Appendix.*)

## (XIV, A)

1. **Er hatte etwas für die Geliebte zu tun.**
   A. He had something to do for his sweetheart.
   B. He had something to do for her.
   C. He had something to do for me.
   D. He had something to do for him.

## (XIV, B)

2. **Er war noch nicht weit vom Hotel entfernt.**
   A. He wasn't far from the hotel yet.
   B. He wasn't far from the art shop yet.
   C. He wasn't far from his art shop yet.
   D. He wasn't far from it yet.

3. **Sie war bei der Hofkirche angelangt.**
   A. She had arrived at the court church.

B. She had arrived at the statue.

C. She had arrived at the hotel.

D. She had arrived at the railroad station.

(XIV, C)

4. **Albert schlich hinter das Grabmal.**

   A. Albert crept behind the tomb.

   B. Albert crept behind the statues.

   C. Albert crept between the statues.

   D. Albert sat between the statues.

5. **Man sprach hinter ihr.**

   A. People were speaking behind her.

   B. People were standing behind her.

   C. People were standing beside her.

   D. People were standing in front of her.

6. **Sie sah dem König ins Antlitz.**

   A. She looked into the king's face.

   B. She looked into the king's face.

   C. She looked into his face.

   D. She looked into his eyes.

(XIV, B)

7. **Er fragte nach dem Preis.**

   A. He inquired about the price.

   B. He inquired about it.

   C. What did he inquire about?

   D. Do you know what he inquired about?

(XIV, C)

8. **Ich habe ihn an seiner Stimme erkannt.**

   A. I recognized him by his voice.

   B. I recognized him by his face.

   C. I recognized him by his eyes.

   D. I recognized him by it.

(XIV, E)

9. **Erinnern Sie sich an dieses Bild?**
   A. Do you remember this picture?
   B. Do you remember it?
   C. What do you remember?
   D. Tell me what you remember.

10. **Auf welchen Zug wartet er denn?**
    A. Which train is he waiting for?
    B. Which one is he waiting for?
    C. What is he waiting for?
    D. Is he waiting for it?

11. **Woran denken Sie?**
    A. What are you thinking about?
    B. Are you thinking about it?
    C. Are you thinking of following her?
    D. Are you thinking of being able to follow her?

# ÜBUNGEN

I. Insert the word or phrase in parentheses into the following sentences, using the proper case forms.

*Example:* **Er hatte etwas für _____ zu tun. (er)**
         **Er hatte etwas für *ihn* zu tun.**

1. Er lief durch _____ (der Garten).
2. Die Soldaten standen um _____ (das Gebäude).
3. Außer _____ war niemand dort (ich).
4. Ich fragte nach _____ (sein Name).
5. Ohne _____ kommen wir nicht aus (das Telefon).
6. Er wohnt schon seit _____ in dieser Stadt (zwei Jahre).
7. Setzen Sie sich auf _____ (der Stuhl).
8. Er kam vor _____ an (ein Monat).
9. Sie tritt vor _____ (der Spiegel).

10. Das Haus neben _____ ist sehr alt (die Kirche).

11. Der Ritter kämpfte gegen _____ (der Feind).

12. _____ nach soll es ein interessantes Buch sein (Mein Lehrer).

13. Wir warteten neben _____ (die Tür).

14. Wollen Sie den Fernsehapparat zwischen _____ stellen (die Fenster)?

15. Er blickte zu _____ hinaus (das Fenster).

16. Das hat er wohl bei _____ gekauft (mein Bruder).

17. Er stand regungslos hinter _____ (die Bildsäule).

18. Gehen wir doch in _____ (dieses Theater).

19. Ich warte schon lange auf _____ (du).

20. Mitten in der Nacht sind viele Menschen über _____ geflüchtet (die Grenze).

21. Er wollte uns über _____ berichten (seine Arbeit).

22. Sie waren bis auf _____ tot (der letzte Mann).

23. An _____ hat er besonders lang und heftig geredet (dieser Tag).

24. Ich fürchte mich vor _____ (solche Menschen).

25. Er hält nicht viel von _____ (ich).

26. Das ist doch vor _____ geschehen (viele Jahre).

27. Wir denken immer noch oft an _____ (diese Geschichte).

28. Leidet sie an _____ (diese Krankheit)?

29. Er hat es unter _____ gemacht (die schwersten Umstände).

30. An _____ möchte ich nicht teilnehmen (die nächste Konferenz).

II. Answer the following questions, replacing the prepositional phrases with prepositional compounds.

*Example:* **Warten Sie auf den Zug?**
            **Ja, ich warte darauf.**

1. Erinnern Sie sich an diese schöne Stadt? 2. Haben Sie ihn an dem Hut erkannt? 3. Freuen Sie sich auf Ihre Reise? 4. Arbeiten Sie immer noch an dem Buch? 5. Sind Sie bei der Arbeit? 6. Haben Sie Zeit zu einer Tasse Kaffee? 7. Können Sie auch nach der

Adresse meiner Schwester fragen? 8. Wurden Sie durch den Un-
fall verletzt? 9. Liegen die Bücher auf dem neuen Tisch? 10. Redet
er heute über die Literatur des Mittelalters?

**III.** Construct questions to request a repetition of the statements.

*Example:* **Ich warte auf den Zug nach Bremen.**
**Worauf warten Sie?**

1. Ich denke an den Kölner Dom. 2. Er hat über die moderne
Malerei geschrieben. 3. Ich wollte nach dem Preis fragen. 4. Wir
interessieren uns für Chemie und Physik. 5. Faust arbeitete daran,
Gold aus Blei zu machen. 6. Man hat gegen die Macht des Fein-
des gekämpft. 7. Ich möchte um ein Glas Wein bitten. 8. Sie stand
vor einer Statue des Gotenkönigs Theoderich. 9. Wir erkannten
ihn daran, daß er einen großen Koffer trug. 10. Wir sind mit dem
Schnellzug gefahren.

*Gottfried Keller*    1819–1890

# LESSON XV.

*The comma,*
*infinitive phrases,*
*participial phrases,*
*miscellaneous*

AUS   *Die Jungfrau als Ritter*

GOTTFRIED KELLER

Als nun das Signal zum Kampfe mit Guhl dem Geschwinden gegeben wurde, ritt dieser gegen die Jungfrau heran und
umkreiste sie mit immer größerer Schnelligkeit, sie mit seinem
Schilde zu blenden suchend und mit der Lanze hundert Stöße
nach ihr führend. Inzwischen verharrte die Jungfrau immer auf     5
derselben Stelle in der Mitte des Turnierplatzes und schien
nur die Angriffe mit Schild und Speer abzuwehren, wobei sie
mit großer Kunst das Pferd auf den Hinterfüßen sich drehen
ließ, so daß sie stets dem Feinde das Angesicht zuwendete. Als
Guhl das bemerkte, ritt er plötzlich weit weg, kehrte dann um     10
und rannte mit eingelegter Lanze auf sie ein, um sie über den
Haufen zu stechen. Unbeweglich erwartete ihn die Jungfrau;
aber Mann und Pferd schienen von Erz, so fest standen sie
da, und der arme Kerl, der nicht wußte, daß er mit einer
höheren Gewalt stritt, flog unversehens, als er auf ihren Speer   15
rannte, während der seinige wie ein Halm an ihrem Schilde
zerbrach, aus dem Sattel und lag auf der Erde. Unverweilt

133

sprang die Jungfrau vom Pferde, kniete ihm auf die Brust, daß
er unter der gewaltigen Stärke sich nicht rühren konnte, und
20 schnitt ihm mit ihrem Dolche die beiden Schnäuze mit den
Silberglöcklein ab, welche sie an ihrem Wehrgehänge befestigte, indessen die Fanfaren sie oder vielmehr den Zendelwald
als Sieger begrüßten.

Nun kam Ritter Maus der Zahllose an den Tanz. Gewaltig
25 sprengte er einher, daß sein Mantel wie eine unheildrohende
graue Wolke in der Luft schwebte. Allein die Jungfrau-Zendel-
wald, welche sich jetzt erst an dem Kampfe zu erwärmen
schien, sprengte ihm ebenso rüstig entgegen, warf ihn auf den
ersten Stoß mit Leichtigkeit aus dem Sattel und sprang, als
30 Maus sich rasch erhob und das Schwert zog, ebenfalls vom
Pferde, um zu Fuße mit ihm zu kämpfen. Bald aber war er
betäubt von den raschen Schlägen, mit denen ihr Schwert ihm
auf Haupt und Schultern fiel, und er hielt mit der Linken
seinen Mantel vor, um sich dahinter zu verbergen und ihn dem
35 Gegner bei günstiger Gelegenheit über den Kopf zu werfen.
Da fing die Jungfrau mit der Spitze ihres Schwertes einen
Zipfel des Mantels und wickelte Maus den Zahllosen mit solch
zierlicher Schnelligkeit selbst vom Kopf bis zum Fuße in den
Mantel ein, daß er in kurzer Zeit wie eine von einer Spinne
40 eingesponnene ungeheure Wespe aussah und zuckend auf der
Erde lag.

## WORTSCHATZ

| | |
|---|---|
| **ab-schneiden, i, i**  to cut off | **bemerken**  to notice |
| **ab-wehren**  to parry, ward off | **betäubt**  stunned |
| **allein**  however | **blenden**  to blind |
| **das Angesicht, –e**  face | **die Brust**  chest |
| **der Angriff, –e**  attack, lunge | **der Dolch, –e**  dagger |
| **arm**  poor | **sich drehen**  to pivot |
| **aus-sehen, a, e, ( ie )**  to look like | **ebenfalls**  likewise |
| **befestigen**  to tie, fasten | **ebenso**  just as |
| **begrüßen**  to greet | **eingelegt**  couched |

eingesponnen spun up, entangled

einher-sprengen (sein) to come galloping along

ein-rennen, rannte ein, ist eingerannt to run or dash against

ein-wickeln to wrap up

entgegen-sprengen (sein) to gallop toward

sich erheben, o, o to get up

sich erwärmen to warm up

das Erz, –e bronze, i.e., like a statue

fangen, i, a, (ä) to catch

der Feind, –e opponent

fest firm

der Gegner, – opponent

die Gelegenheit, –en opportunity

geschwind fast, swift

die Gewalt, –en power

Guhl (proper name)

günstig favorable

der Halm, –e straw

der Haufen: über den Haufen stechen to unhorse

das Haupt, –er head

heran-reiten, i, i (sein) to ride toward

inzwischen in the meantime

die Jungfrau the Virgin (Mary)

der Kampf, –e battle, combat

der Kerl, –e fellow

die Leichtigkeit ease

die Linke left hand

der Mantel, – cape

Maus der Zahllose (proper name)

rasch quick

der Ritter, – knight

sich rühren to move

rüstig vigorous

der Schild, –e shield

der Schlag, –e blow

der Schnauz, –e mustache

die Schnelligkeit rapidity

die Schulter, –n shoulder

schweben to float

das Schwert, –er sword

der seinige = seiner his

der Sieger, – victor

das Silberglöcklein, – little silver bell

die Spinne, –n spider

die Spitze, –n point

die Stärke strength

die Stelle, –n spot, place

stets always

der Stoß, –e thrust

streiten, i, i to quarrel, fight

der Turnierplatz, –e tilting field, lists

um-kehren (sein) to turn around

umkreisen to encircle

unbeweglich motionless

ungeheuer huge

unheildrohend ominous

unversehens unexpectedly, suddenly

unverweilt immediately

sich verbergen, a, o, (i) to hide

verharren to remain

vielmehr rather

vor-halten, ie, a, (ä) to hold out, extend

das Wehrgehänge sword belt

werfen, a, o, (i) to throw

die Wespe, –n wasp

die Wolke, –n cloud

zahllos  countless
Zendelwald  (proper name)
zerbrechen, a, o, (i)  to break to
    pieces
ziehen, o, o  to draw

zierlich  decorous
der Zipfel, –  end, edge, tip
zucken  to quiver, twitch
zu-wenden, wandte zu, zugewandt
    to turn toward

# FRAGEN

1. Wer ritt gegen die Jungfrau heran?
2. Wie wehrte die Jungfrau die Angriffe ab?
3. Warum ritt Guhl plötzlich weit weg?
4. Warum rannte er mit eingelegter Lanze auf die Jungfrau ein?
5. Wieso schienen Mann und Pferd von Erz?
6. Was wußte der arme Kerl nicht?
7. Wer flog unversehens aus dem Sattel?
8. Womit schnitt ihm die Jungfrau die beiden Schnäuze ab?
9. Was machte sie mit den Silberglöcklein?
10. Wie sprengte Maus der Zahllose einher?
11. Wie schwebte sein Mantel in der Luft?
12. Was machte die Jungfrau mit Leichtigkeit?
13. Warum sprang sie vom Pferde?
14. Warum hielt Maus seinen Mantel vor?
15. Wie sah Maus nach dem Kampfe aus?

# MUSTERSÄTZE

(*Study Lesson XV in the Grammatical Appendix.*)

## (XV, B)

1. **Er hielt seinen Mantel vor, um sich dahinter zu verbergen.**
   A. He held his cape in front of him in order to hide behind it.
   B. She held her cape in front of her in order to hide behind it.
   C. She held her cape in front of her in order to defend herself.
   D. He held his shield in front of him in order to defend himself.

2. **Er ging hinein, ohne ein Wort zu sagen.**
   A. He went in without saying a word.
   B. She went in without saying a word to me.
   C. He went in without my saying a word.
   D. She went in without his saying a word to her.

3. **Er wollte mir helfen.**
   A. He wanted to help me.
   B. She wanted to help him.
   C. They wanted to help us.
   D. We wanted to help them.

4. **Er wollte, daß ich ihm helfen würde.**
   A. He wanted me to help him.
   B. She wanted him to help her.
   C. They wanted us to help them.
   D. We wanted them to help us.

(XV, C)

5. **Wann kommt der nächste Zug an?**
   A. When does the next train arrive?
   B. When did the train arrive?
   C. When did the train depart?

6. **Ich weiß nicht, wann der nächste Zug ankommt.**
   A. I don't know when the next train arrives.
   B. I don't know when the train arrived.
   C. I don't know when the train departed.

7. **Als Guhl das bemerkte, ritt er plötzlich weit weg.**
   A. When Guhl noticed that, he suddenly rode far away.
   B. When Guhl noticed that, he suddenly drew his sword.
   C. When the signal was given, he suddenly drew his sword.

(XV, D)

8. **Nicht nur Verstand, sondern auch Glück muß man haben.**
   A. One must not only have understanding, but also luck.

B. One must not only have money, but also luck.

C. One must not only have friends, but also money.

9. **Entweder die Jungfrau oder Guhl wird den Kampf gewinnen.**
   A. Either the Virgin or Guhl will win the battle.
   B. Neither the Virgin nor Guhl will win the battle.
   C. Either the Virgin or Guhl will lose the battle.
   D. Neither the Virgin nor Guhl will lose the battle.

(XV, E)

10. **Er ist erst um vier Uhr gekommen.**
    A. He didn't come until four o'clock.
    B. She didn't come until four o'clock.
    C. She will not come until four o'clock.

(XV, F)

11. **Da der Film zu Ende war, verließen sie das Kino.**
    A. Since the film was over, they left the movies.
    B. Since the film was very good, they remained in the movies.
    C. Before the film was over, they left the movies.
    D. When the film was over, they left the movies.

# ÜBUNGEN

**I.** Insert the missing commas:

Der Nachtwächter rief die elfte Stunde an da sah ich nach Hause gehend vor der Tür eines großen Gebäudes einen Trupp von allerlei Gesellen die vom Biere kamen um jemand der auf den Türstufen saß versammelt.

**II.** Render the following phrases into English:

ohne mich zu sehen, anstatt mir zu helfen, ohne das Zimmer zu betreten, um schneller ans Ziel zu kommen, statt mir etwas zu sagen, ohne daß er mich sah, anstatt daß er ins Haus ging, ohne die Antwort zu wissen

**III.** Supply **wenn, wann,** or **als:**

1. _____ der Krieg zu Ende war, gingen die Soldaten nach Hause.
2. _____ der Weihnachtsmann kommt, bringt er den Kindern viele Spielzeuge.
3. _____ ist der Weihnachtsmann gekommen?
4. _____ er ins Kino ging, war er nie allein.
5. _____ er uns sah, versteckte er sich hinter einem Baum.

**IV.** Render into German:

1. She wanted him to help her. 2. He went into the house without my seeing him. 3. He didn't help her, but him. 4. Seeing me on the street, he went into the house. 5. Hidden behind a tree, he saw everything.

**V.** Supply the missing word:

1. Er ging nicht ins Kino, _____ (*but*) auf die Bank.
2. _____ (*When*) er das bemerkte, ritt er plötzlich weit weg.
3. _____ (*Either*) die Jungfrau oder Guhl lag auf der Erde.
4. _____ (*Then*) ging er nach Hause.
5. _____ (*Since*) er früh nach Hause ging, wußte er nicht, daß sie krank war.
6. _____ (*Not until*) heute ist er angekommen.
7. Sie ist eben _____ (*only*) eingetreten.
8. _____ (*Neither*) Glück _____ (*nor*) Geld wird ihm helfen.
9. _____ (*Before*) der Film zu Ende kam, gingen sie nach Hause.
10. _____ (*If*) er morgen kommt, geben Sie ihm diesen Brief.

# Grammatical Appendix

## I. Verbs: PRINCIPAL PARTS, PRESENT TENSE, IMPERATIVE, INTENSIFYING ADVERBS

### A. WEAK OR REGULAR VERBS

1. As in English the past forms of weak or regular verbs are composed by adding a suffix to the verb stem (i.e., that part of the verb which remains after the **en** or **n** of the infinitive or dictionary form of the verb is dropped):

| Infinitive | Past Tense | Past Participle |
|------------|------------|-----------------|
| **fragen** | **fragte** | **gefragt** |
| ask | asked | asked |
| **lächeln** | **lächelte** | **gelächelt** |
| smile | smiled | smiled |

The verb form denoting the past tense consists of the stem plus –te. The past participle of the verb is formed by prefixing **ge–** and suffixing –t to the stem:

| *Infinitive* | *Past Tense* | *Past Participle* |
|---|---|---|
| **angeln** | **angel*te*** | **ge*angelt*** |
| fish | fished | fished |
| **sagen** | **sag*te*** | **ge*sagt*** |
| say | said | said |

2. Some weak verbs whose stem ends in **d** or **t**, and most verbs whose stem ends in a consonant cluster, add an extra **e** before the ending **–t** or **–st** in order to facilitate pronunciation:

| **reden** | **red*ete*** | **gered*et*** |
|---|---|---|
| speak | spoke | spoken |
| **warten** | **wart*ete*** | **gewart*et*** |
| wait | waited | waited |
| **atmen** | **atm*ete*** | **geatm*et*** |
| breathe | breathed | breathed |

If an **m** or **n** in a consonant cluster is preceded by **l** or **r**, the extra **e** is not needed:

| **lernen** | **lernte** | **gelernt** |
|---|---|---|
| learn | learned | learned |

3. The verb **haben** is irregular:

| **haben** | **hatte** | **gehabt** |
|---|---|---|
| have | had | had |

4. All verbs beginning with an unstressed syllable form their past participle without the prefix **ge–**:

| **studieren** | **studierte** | **studiert** |
|---|---|---|
| study | studied | studied |
| **besuchen** | **besuchte** | **besucht** |
| visit | visited | visited |

The principal parts of almost any weak verb can be determined from the infinitive or dictionary form of the verb according to the description given above.

**B. STRONG OR IRREGULAR VERBS**

1. As in English, the principal parts of a strong verb are formed by a change in the stem of the verb:

| | | |
|---|---|---|
| singen | sang | gesungen |
| sing | sang | sung |

2. The past participle of a strong verb is formed by prefixing **ge–** and suffixing **–en** to the appropriate stem. A verb beginning with an unstressed syllable adds no **ge–**:

| | | |
|---|---|---|
| **fahren** | **fuhr** | **gefahren** |
| drive | drove | driven |
| **bleiben** | **blieb** | · **geblieben** |
| remain | remained | remained |
| **verstehen** | **verstand** | **verstanden** |
| understand | understood | understood |

3. Strong verbs whose stem ends in **d** or **t** (unless preceded by **l**) also add an extra **e** before the endings **t** and **st** to facilitate pronunciation. The extra **e** is usually not added in the **du**-*form* of the past tense:

**du findest    du fandst**

4. Most strong verbs whose infinitive stem vowel is **e** or **a** show an irregularity in the second (**du**) and third (**er, sie, es**) person singular of the present tense:

| | |
|---|---|
| **helfen** | **fahren** |
| **du hilfst** | **du fährst** |
| **er hilft** | **er fährt** |

This change is indicated in the principal parts:

| | | | | |
|---|---|---|---|---|
| **helfen** | **half** | **geholfen** | **er hilft** | to help |
| **fahren** | **fuhr** | **gefahren** | **er fährt** | to drive, ride |

The following verbs do not make this change:

**stehen, er steht    gehen, er geht**

5. The principal parts of strong verbs must be memorized. To facilitate this memorization, strong verbs can be grouped as follows:

| Infinitive Stem Vowel | Past Stem Vowel | Past Part. | 3rd Sing. | Meaning |
|---|---|---|---|---|
| **ei** | **i( ie )** | **i( ie )** | | |
| beißen | biß | gebissen | | *to bite* |
| bleiben | blieb | geblieben | | *to remain* |
| **ie** | **o** | **o** | | |
| schließen | schloß | geschlossen | | *to close* |
| ziehen | zog | gezogen | | *to pull* |
| **i** | **a** | **u** | | |
| singen | sang | gesungen | | *to sing* |
| finden | fand | gefunden | | *to find* |

With double **n** in the infinitive the vowel of the past participle is **o**.

| | | | | |
|---|---|---|---|---|
| beginnen | begann | begonnen | | *to begin* |
| gewinnen | gewann | gewonnen | | *to win* |
| **e** | **a** | **o** | **i( ie )** | |
| sprechen | sprach | gesprochen | spricht | *to speak* |
| brechen | brach | gebrochen | bricht | *to break* |
| befehlen | befahl | befohlen | befiehlt | *to command* |

Note the following:

| | | | | |
|---|---|---|---|---|
| nehmen | nahm | genommen | nimmt | *to take* |
| werden | wurde | geworden | wird | *to become* |
| **e** | **a** | **e** | **i( ie )** | |
| geben | gab | gegeben | gibt | *to give* |
| lesen | las | gelesen | liest | *to read* |
| **a** | **u** | **a** | **ä** | |
| fahren | fuhr | gefahren | fährt | *to travel* |
| tragen | trug | getragen | trägt | *to wear, carry* |
| **a, ei, au, u, o** | **ie** | **a, ei, au, u, o** | **ä, äu, ö** | |
| fallen | fiel | gefallen | fällt | *to fall* |
| heißen | hieß | geheißen | | *to be called* |
| laufen | lief | gelaufen | läuft | *to run* |
| rufen | rief | gerufen | | *to call* |
| stoßen | stieß | gestoßen | stößt | *to push, shove* |

The following verbs do not fit any pattern and are best learned separately:

| | | | |
|---|---|---|---|
| tun | tat | getan | *to do* |
| kommen | kam | gekommen | *to come* |
| gehen | ging | gegangen | *to go* |
| liegen | lag | gelegen | *to lie* |
| sitzen | saß | gesessen | *to sit* |
| stehen | stand | gestanden | *to stand* |
| sein | war | gewesen | *to be* |

A complete list of strong verbs will be found in the Addenda.

### C. THE PRESENT TENSE

1. The present tense of both strong and weak verbs is formed by adding the present tense personal endings to the infinitive stem of the verb:

| | |
|---|---|
| ich frag*e* | wir frag*en* |
| du frag*st* | ihr frag*t* |
| er frag*t* | sie fragen |
| | Sie fragen |

2. Verbs whose stem ends in –d or –t, or a cluster of consonants, usually add an extra **e** before **t** or **st**:

| | | | |
|---|---|---|---|
| du antwortest | du wartest | du öffnest | du findest |
| er antwortet | er wartet | er öffnet | er findet |

3. Verbs whose stem ends in a sibilant usually add only –t in the second person singular:

du grüßt  du reist

4. Most strong verbs whose stem vowel in the infinitive form is e or a change that vowel to i(ie) or ä in the second and third person singular:

| | | | |
|---|---|---|---|
| ich gebe | wir geben | ich fahre | wir fahren |
| du gibst | ihr gebt | du fährst | ihr fahrt |
| er gibt | sie geben | er fährt | sie fahren |
| | Sie geben | | Sie fahren |

5. The verbs **haben** and **sein** are irregular in the present tense:

| | | | |
|---|---|---|---|
| ich habe | wir haben | ich bin | wir sind |
| du hast | ihr habt | du bist | ihr seid |
| er hat | sie haben | er ist | sie sind |
| | Sie haben | | Sie sind |

### D. USE OF THE PRESENT TENSE

1. The present tense in German is used in much the same way as the English present tense. It should be noted that English verbs have three different forms in the present tense, while German verbs have only one form:

$$\left. \begin{array}{l} \text{he goes} \\ \text{he is going} \\ \text{he does go} \end{array} \right\} \text{ er geht}$$

2. German often uses the present tense to express something that will take place in the future. The meaning is always made clear by the context:

**Sie bringen ihn morgen ins Amt Number 8.**
They will take him to bureau number 8 tomorrow.

**Nächstes Jahr reist er nach Deutschland.**
He will go to Germany next year.

3. In English the present perfect progressive tense is used to express an action which had its beginning sometime in the past but is still going on at the present time:

He *has been living* in this city for a long time. (He still is.)

In German the present tense plus an adverb or adverbial phrase of time is used to convey this idea:

**Er *wohnt* schon lange in dieser Stadt.**
He *has been living* in this city for a long time.

**Sie warten seit drei Stunden.**
They have been waiting for three hours.

Das Tragen von Leder ist den Zivilpersonen schon seit vielen
Jahren verboten.
The wearing of leather has been forbidden to civilians for
many years.

### E. INFINITIVE AS A NOUN

Any infinitive may be used as a noun. It is always neuter and
must be capitalized:

> das Tragen   carrying, wearing
> das Gehen   walking

*Das Tragen* **von Leder ist den Zivilpersonen verboten.**
The wearing of leather is forbidden to civilians.

### F. IMPERATIVE MOOD

1. The imperative mood is used in giving commands. Because
the German language has three words for *you* (**du, ihr, Sie**), there
are three imperative forms:

Go home! {

> **Geh(e) nach Hause!** (Speaking to a person who
> would be addressed in the **du**-*form*)
> **Geht nach Hause!** (Speaking to more than one
> person who would be addressed in the **du**-*form*)
> **Gehen Sie nach Hause!** (This is the conventional
> or polite form. It is used in addressing one or
> more persons)

2. Those strong verbs which undergo a stem vowel change from
**e** to **i(ie)** in the second and third person of the present tense also
make this change in the **du**-*form* of the imperative:

| | |
|---|---|
| **Gib mir das Buch!** | **Lies die Zeitung!** |
| **Gebt mir das Buch!** | **Lest die Zeitung!** |
| **Geben Sie mir das Buch!** | **Lesen Sie die Zeitung!** |

*Note:* The **e** ending in the **du**-*form* of the imperative is dropped
when the vowel change is made. This **e** is also regularly dropped
in colloquial German. Note also that the personal pronouns (**du,**

**ihr**) are omitted in the imperative, but that in the polite form the pronoun (**Sie**) is included.

3. The imperative of **werden** is regular throughout:

**Werde!    Werdet!    Werden Sie!**

4. The imperative of **sein** uses no e ending in the **du**-*form:*

**Sei!    Seid!    Seien Sie!**

5. Strong verbs which undergo a vowel change from **a** to **ä** (**ich fahre, du fährst, er fährt**) in the second and third person singular of the present tense, do not make this change in the **du**-*form* of the imperative:

**Fahre!    Fahrt!    Fahren Sie!**

6. Sometimes infinitives and past participles are used to give commands:

**Einsteigen!**        All aboard.
**Stillgestanden!**    Attention! (military)

### G. INTENSIFYING ADVERBS

1. Adverbs like **denn, doch, ja, einmal** and **wohl** may be called modal or intensifying adverbs because they convey the mental attitude of the speaker making the statement in which they occur. They are frequently rather difficult to render in English and can only be mastered by long exposure to them in varying contexts.

2. **denn** in a positive statement frequently has the meaning of *evidently, in that case, I see:*

**Wenn er es sagt, so muß es denn wahr sein.**
If he says so, then it evidently must be true.

**Er wollte es dir geben, und das hat er denn auch getan.**
He intended to give it to you, and I see that he did.

In questions, **denn** is used when inquiring after some further information about a fact already known or established. Sometimes it expresses interest or even impatience. English sometimes uses *then, anyway, why:*

**Warum hast du es denn gemacht?**
Why did you do it anyway?

**Was ist denn passiert?**
Well then, what did happen?

**Sind Sie denn völlig verrückt?**
Why, are you completely crazy?

3. **doch,** when it is stressed, is used to contradict a negative statement:

„**Sie haben den Film nicht gesehen.**" „**Doch.**"
"You didn't see the film." "Yes, I did."

When it is unstressed, it can mean *after all, of course, surely, however, nevertheless, just;* the speaker feels that a fact is obvious:

**Er ist doch spät gekommen.**
He did come late after all.

**Er hat es doch gewußt.**
Of course he knew that.

**Zeigen Sie doch einmal Ihre Ausweispapiere!**
Let's just have a look at your identity papers.

**Das ist mir doch seit einem Jahre nimmer vorgekommen!**
That hasn't happened to me for a year, you know.

4. **einmal** adds a slight force to an imperative. It can convey the idea of *just:*

**Moment (ein)mal!**
Just a minute.

**Kommen Sie einmal her!**
Come here a minute.

**Zeigen Sie mir einmal Ihre Ausweispapiere!**
Just show me your identity papers.

It can also mean *once, sometime:*

**Das habe ich einmal gesehen.**
I saw that once.

**Die Schuhe habe ich einmal gekauft.**
I once bought the shoes.

**Nicht einmal** means *not even* and emphasizes the word it precedes:

**Nicht einmal der Arzt hätte das gewußt.**
Not even the doctor would have known that.

5. **ja** in an unstressed position does not mean *yes*. It implies that the speaker expects his statement to be obvious to everyone. In English we might say *indeed, truly, you know*:

**Das müssen wir ja machen.**
We must indeed do that.

**Er ist ja verrückt!**
He's crazy, you know.

**Sie tragen ja Lederschuhe!**
Why, you're wearing leather shoes!

6. **wohl**, when unstressed, has a meaning similar to words like *indeed, certainly* in English; or it can express probability:

**Das stimmt wohl.**
That is indeed correct.

**Der ist wohl müde.**
He is undoubtedly (probably) tired.

## II. Verbs: PAST, PRESENT PERFECT, AND PAST PERFECT TENSES

### A. THE PAST TENSE OF WEAK AND STRONG VERBS

1. The past of weak verbs is formed by adding **–te** to the stem of the present infinitive:

**fragen     frag*te***

2. The past of strong verbs is formed by stem changes (*ablaut*) which must be learned with the principal parts (see Appendix I, B).

3. The personal endings for both strong and weak verbs in the

past tense are identical except for the addition of an **e** before **n** in the plural of strong verbs:

| | | | |
|---|---|---|---|
| ich lebte | wir lebten | ich sang | wir sangen |
| du lebtest | ihr lebtet | du sangst | ihr sangt |
| er lebte | sie lebten | er sang | sie sangen |
| | Sie lebten | | Sie sangen |

4. Weak verbs whose present infinitive stem ends in **t** or **d**, and most verbs whose stem ends in a consonant cluster, add an **e** before the **te** of the past form (see I, A, 2):

| | | | |
|---|---|---|---|
| ich antwortete | wir antworteten | ich öffnete | wir öffneten |
| du antwortetest | ihr antwortetet | du öffnetest | ihr öffnetet |
| er antwortete | sie antworteten | er öffnete | sie öffneten |
| | Sie antworteten | | Sie öffneten |

| | |
|---|---|
| ich redete | wir redeten |
| du redetest | ihr redetet |
| er redete | sie redeten |
| | Sie redeten |

**B. USE OF THE PAST TENSE**

1. The past tense in German is essentially a narrative tense. It is therefore used to describe a series of past events:

**Der Herr trat zur Bahre, kniete nieder und betete.**
The gentleman walked to the bier, knelt down, and prayed.

2. The past is sometimes used to convey the fact that an action was progressing. English uses the progressive past (i.e., *he was eating*):

**Daß ich *arbeitete*, habe ich Ihnen schon gesagt.**
I've already told you that I *was working*.

3. The past is also used to express action that began in the past, continued over a period of time, and then ended sometime in the past. English uses the past perfect progressive:

**Wir *schliefen* längst. Da rief gegen Mitternacht meine Frau.**

We *had been sleeping* for a long time. Then my wife called toward midnight.

4. German ordinarily does not use the simple past tense to express an isolated completed past action or to express an emphatic past action (*did go*). (See D, 2)

### C. THE PRESENT PERFECT TENSE

1. The present perfect is a compound tense and is formed by using an auxiliary verb (**haben** or **sein**) with a past participle. The past participle normally stands at the end of a main clause:

**Im ersten Augenblick *habe* ich alles *vergessen.***
Momentarily I forgot everything.

**Was hat er gesagt?**
What did he say?

2. The auxiliary **haben** is used with all transitive verbs (i.e., verbs that have a direct object) and with most intransitive verbs (i.e., verbs that do not have a direct object):

**Er *hat* die Frucht gegessen.**
He has eaten the fruit.

**Er *hat* den ganzen Tag am Fenster gesessen.**
He sat at the window all day long.

3. The auxiliary **sein** is used with intransitive verbs that show a change of position (such as verbs of locomotion) or a change of condition:

**Er *ist* nach München gefahren.**
He has traveled to Munich.

**Er *ist* von einem Felsen gestürzt.**
He fell from a cliff.

**Er *ist* gestern gestorben.**
He died yesterday.

The verbs **sein, bleiben, geschehen** and **passieren** form their perfect tense with **sein**.

### D. USE OF THE PRESENT PERFECT

1. German usually uses the present perfect where English does. (Note the exception explained in Appendix I, D, 3).

**Ich *habe* mein ganzes Geld *ausgegeben*.**
I *have spent* all my money.

2. German also uses the present perfect to express a single completed action in the past. English usually uses the simple past tense, often with the verb *did:*

**Haben Sie alles *vergessen*?**
*Did* you *forget* everything?
**Er *hat* richtig *geantwortet*.**
He *answered* correctly.

3. The present perfect is essentially a conversational tense. But it is often employed in written German to emphasize an isolated past action.

4. The following diagram shows the relationship of English and German tenses:

*connected narration*

He walked along the street. ◄────────► **Er ging die Straße entlang.**

*progressing action*

He was walking along the street. ◄────► **Er ging die Straße entlang.**

*completed action*

He forgot everything.
He did forget everything.  ────────► **Er hat alles vergessen.**
He has forgotten everything.

### E. THE PAST PERFECT TENSE

This tense is formed by using the past tense of the auxiliary verb plus the past participle:

**Er *war* nach München *gefahren*.**
He had traveled to Munich.

**Er *hatte* richtig *geantwortet*.**
He had answered correctly.

**F. USE OF THE PAST PERFECT**

This tense is used in German almost exactly as it is used in English. It indicates that one action in the past took place prior to a subsequent past action:

> **Nachdem die Jungen sich versammelt hatten, schloß er die Tür.**
> After the boys had assembled, he closed the door.

## III. Verbs: FUTURE AND FUTURE PERFECT TENSES, IRREGULAR WEAK VERBS, *kennen* AND *wissen, nämlich*

**A. THE FUTURE TENSE**

The future tense is formed by using the present tense of **werden** as an auxiliary verb in conjunction with the present infinitive (English uses *shall* or *will* as auxiliaries). The infinitive normally stands at the end of a main clause:

> **Es *wird* dich vielleicht *überraschen*.**
> It *will* perhaps *surprise* you.

> **Heute abend *werden* wir in einem guten Restaurant *essen*.**
> We*'ll eat* in a good restaurant this evening.

**B. USE OF THE FUTURE TENSE**

1. The future tense is used just as in English to indicate something that will take place in the future:

> **Es wird vielleicht einige Zeit dauern.**
> It will perhaps take some time.

> **Eines Tages werden wir auch nach Deutschland reisen.**
> We shall take a trip to Germany some day, too.

*Note:* The present tense can also be used with a future meaning (see Appendix I, D, 2).

2. The future tense can be used to express probability in either future or present time. The particle **wohl** is normally included in such a sentence:

**Wenn Sie die Stellung annehmen, *werden* Sie wohl gut verdienen.**
If you take the job, you *will* probably *earn* a lot of money.

**Es *wird* dir wohl eine Überraschung *sein*, aber es ist doch wahr.**
You *are* undoubtedly (probably) *surprised*, but it is true nevertheless.

**Sie werden wohl müde sein.**
You are probably tired.

**Sie werden wohl zu arbeiten haben.**
You probably have some work to do.

### C. THE FUTURE PERFECT TENSE

1. The future perfect tense is formed by using the present tense of **werden** as an auxiliary verb in conjunction with the perfect infinitive (i.e., a past participle with the present infinitive of its auxiliary: **gewesen sein; gehabt haben**). English uses *shall* or *will* with the perfect infinitive:

**Bis wir ankommen, *wird* er schon alles *erledigt haben*.**
By the time we arrive he *will have taken* care of everything.

**Ich werde warten, bis Herr Nissing sein Bad *beendet haben wird*.**
I'll wait until Mr. Nissing *has finished* (i.e., *will have finished*) his bath.

**Wenn wir uns nicht beeilen, *wird* er schon *fortgegangen sein*.**
If we do not hurry, he *will have* already *left*.

2. Unlike English, the parts of the German perfect infinitive cannot be separated. Normally it stands at the end of a main clause.

### D. USE OF THE FUTURE PERFECT TENSE

1. The future perfect tense is used as in English to indicate something which in the present time has not yet happened but will, at some future date, already lie in the past:

Sie rechnen aus, wie viele Personen in zehn Jahren über die Brücke gegangen sein werden.
They calculate how many people will have gone over the bridge in ten years.

In einer Stunde wird er sein Bad beendet haben.
In an hour he will have finished his bath.

2. The future perfect is used to express probability in the past time. For this reason it is not quite so rare a tense as its English counterpart. The particle **wohl** is also normally employed in this kind of sentence:

Heute abend *wird* die Oper wohl sehr schön *gewesen sein.*
This evening the opera was probably very beautiful.

Du wirst wohl nicht viel versäumt haben.
You probably haven't missed much.

Es wird ihn wohl überrascht haben.
It probably surprised him.

### E. IRREGULAR WEAK VERBS

1. Irregular weak verbs undergo a vowel change in their principal parts:

| | | | |
|---|---|---|---|
| brennen | brannte | gebrannt | *to burn* |
| kennen | kannte | gekannt | *to know,*<br>*be familiar with* |
| nennen | nannte | genannt | *to name, call* |
| rennen | rannte | ist gerannt | *to run* |
| wissen | wußte | gewußt | *to know* |

2. **senden** and **wenden** have two forms:

| | | |
|---|---|---|
| senden | sandte *or* sendete | gesandt *or* gesendet | *to send* |
| wenden | wandte *or* wendete | gewandt *or* gewendet | *to turn* |

3. **bringen** and **denken** undergo consonant changes similar to their English cognates:

| | | |
|---|---|---|
| bringen | brachte | gebracht |
| *bring* | *brought* | *brought* |

| denken | dachte | gedacht |
|--------|--------|---------|
| *think* | *thought* | *thought* |

4. **wissen** is irregular in the present tense:

| ich weiß | wir wissen |
|----------|------------|
| du weißt | ihr wißt |
| er weiß | sie wissen |
| | Sie wissen |

F. *kennen, wissen, können*

The verbs **kennen, wissen** and **können** all mean *to know*, but they are not synonymous:

*a.* **kennen** is to know a person or to be familiar with a thing:

**Ich kenne Herrn Nissing.**
I know Mr. Nissing.

**Ich kenne diese Stadt ziemlich gut.**
I know this city quite well.

*b.* **wissen** is to know a fact:

**Ich weiß, wo Herr Nissing wohnt.**
I know where Mr. Nissing lives.

**Er wußte, daß Herr Nissing weder tot noch verreist war.**
He knew that Mr. Nissing was neither dead nor on a trip.

*Note:* When used with an infinitive preceded by **zu, wissen** can mean to know how, to be able:

**Er wußte sich einen neuen Hut zu verschaffen.**
He was able to get himself a new hat.

*c.* **können** is to have ability in something, to know how (see Appendix IV, B, 2). Compare:

**Ich kenne das Gedicht.**
I am familiar with the poem.

**Ich kann das Gedicht.**
I know the poem (by heart).

**Ich *kenne* Herrn Nissing und *weiß*, daß er Deutsch *kann*.**
I *know* Mr. Nissing and I *know* that he *knows* German.

G. *nämlich*

The word **nämlich** is sometimes used to convey the fact that the speaker feels his statement is clarifying a previous assertion, or making its significance or logic manifest. English often uses *you see* to convey this:

**Er ist nämlich tot.**
He is dead, you see.

**Es ist nämlich kein Schild hier.**
There is no sign here, you see.

**IV.** Verbs: MODALS, THE DOUBLE INFINITIVE, *lassen, sehen, hören,* REFLEXIVE VERBS

A. MODALS

1. Modals are primarily auxiliary verbs whose function it is to indicate the attitude or mood of the dependent verb or verbs. Like the auxiliary **werden,** they may be used with a present or a perfect infinitive:

**Ich *muß* Ihnen etwas *sagen.***
I must tell you something.

**Er *muß* es ihr *gesagt haben.***
He must have told her.

2. Principal parts:

| | | | | |
|---|---|---|---|---|
| dürfen | durfte | gedurft | *or* | dürfen |
| können | konnte | gekonnt | *or* | können |
| mögen | mochte | gemocht | *or* | mögen |
| müssen | mußte | gemußt | *or* | müssen |
| sollen | sollte | gesollt | *or* | sollen |
| wollen | wollte | gewollt | *or* | wollen |

3. Conjugation in the present tense:

| ich darf | kann | mag | muß | soll | will |
| du darfst | kannst | magst | mußt | sollst | willst |
| er darf | kann | mag | muß | soll | will |
| wir dürfen | können | mögen | müssen | sollen | wollen |
| ihr dürft | könnt | mögt | müßt | sollt | wollt |
| sie dürfen | können | mögen | müssen | sollen | wollen |

**B. MEANINGS OF MODALS**

1. dürfen

   *a.* to be permitted:

   **Sie *dürfen* weiteressen.**
   You *may* continue to eat.

   **Er *durfte* es nicht tun.**
   He *was* not *allowed to* do it.

   ***Darf* ich Sie um eine Zigarette bitten?**
   *May* I ask you for a cigarette?

   *b.* For politeness the subjunctive form of the modal is often used:

   ***Dürfte* ich Sie um eine Zigarette bitten?**
   *Might* I ask you for a cigarette?

   *c.* In a negative sentence, **dürfen** can have the force of English *must*:

   **Das *darf* man nicht tun.**
   One *must* not do that.

   *d.* The subjunctive II form (**dürfte**) is used to express probability:

   **Er *dürfte* krank sein.**
   He is *probably* (*might be*) sick.

2. können
   *a.* to be able:

   **Morgen *kann* ich nicht kommen.**
   I *can*not come tomorrow.

**Ich *kann* doch nicht wissen, welche Bemerkung du meinst.**
I certainly *can*not know which remark you mean.

**Er *konnte* die Aufgabe nicht lösen.**
He *could* not solve the problem.

> *b.* to know (expressing knowledge or ability):

**Er *kann* Deutsch.**
He *knows* German.

**Er *kann* das Gedicht.**
He *knows* the poem (i.e., he can recite it. See Appendix III, F).

> *c.* possibility:

**Er *konnte* es ihr gesagt haben.**
He *could* have told her.

**Er *kann* es schon gewußt haben.**
*It is possible* that he already knew it.

> *d.* permission (English also often uses *can* instead of *may*):

**Sie *können* jetzt hereinkommen.**
You *can* (*may*) come in now.

### 3. mögen
> *a.* to like, to care to:

**Ich *mag* den Kaffee nicht.**
I *do* not *like* the coffee.

**Ich *mag* das nicht essen.**
I *do* not *care* to eat that.

**Er *mochte* ihn nicht leiden.**
He *did*n't *like* him.

> *b.* possibility or probability:

**Es *mag* wahr sein.**
It *may* be true.

**Wie das auch sein *mag* . . .**
However that *may* be . . .

**Die Oper *mag* sehr schön gewesen sein.**
*It is possible (probable)* that the opera was very beautiful.
The opera *may* have been very beautiful.

**Er *mochte* vier Jahre alt sein.**
He *was perhaps (may have been)* four years old.

c. möchte (subjunctive) = would like:

**Ich *möchte* wissen, wo er jetzt wohnt.**
I *would like* to know where he is living now.

***Möchten* Sie etwas anderes sehen?**
*Would* you *like* to see something else?

## 4. müssen
   a. to have to:

**Du *mußt* deine Austern weiter essen.**
You *must* continue to eat your oysters.

**Er *mußte* seine Aufgabe machen.**
He *had to* do his homework.

**Er *muß* es gesagt haben.**
He *must* have said it.

## 5. sollen
   a. to be to, to be supposed to, expected to:

**Was *soll* ich tun?**
What *am* I (expected) *to* do?

**Wie *soll* ich wissen, welche Bemerkung du meinst?**
How *am* I *supposed* to know which remark you mean?

**Ich *soll* morgen in die Stadt fahren.**
I *am supposed to* go to town tomorrow.

   b. moral obligation, should, ought:

**Man *soll* sein Wort halten.**
One *should* keep his word.

Jeden Tag *sollte* man Gemüse essen.
One *ought to* eat vegetables every day.

Man kann nicht immer tun, was man *soll.*
One cannot always do what one *should.*

c. to be alleged to, be said to:

Die Oper *soll* heute abend sehr gut gewesen sein.
The opera *is alleged to* (*is said to*) have been very good this evening.

Die Schmidts *sollen* sehr reich sein.
The Smiths *are said to* be very rich.

6. wollen

a. to want to, intend to:

Heute abend *will* ich in die Oper gehen.
I *want to* (*intend to*) go to the opera this evening.

Er *will* das Geld behalten.
He *wants to* keep the money.

Er *wollte* ihm helfen.
He *wanted to* help him.

b. to claim to:

Er *will* die Aufgabe schon gelöst haben.
He *claims to* have already solved the problem.

Er *will* alles wissen.
He *claims to* know everything.

c. to be about to, to be on the point of:

Als er die Tür aufschließen *will*, bemerkt er, daß er keinen Schlüssel bei sich hat.
As he *is on the point of* unlocking the door, he notices that he has no key with him.

Du *wolltest* mir ja eben was sehr Wichtiges mitteilen.
You *were about to* tell me something very important.

#### C. THE DOUBLE INFINITIVE

1. When a modal is without a dependent infinitive, the past participle in the perfect tense is normal:

**Ich habe den Kaffee nicht *gewollt*.**
I didn't want the coffee.

2. When a dependent infinitive is present, the infinitive form of the modal is used as the past participle:

**Ich habe den Kaffee nicht *trinken mögen*.**
I didn't care to drink the coffee.

3. The infinitives **tun, gehen,** or **kommen** are often omitted if they can be inferred from the context:

**Wir müssen jetzt nach Hause.**
We have to go home now.

**Das darf man nicht.**
One must not do that.

**Das kann er nicht.**
He cannot do that.

**Er will es einfach nicht.**
He simply doesn't want to.

#### D. *lassen, sehen, hören*

1. When **lassen** is used as an auxiliary verb, it takes a double infinitive in the perfect tenses:

**Er hat den Arzt *rufen lassen*.**
He summoned the doctor.

**Er hatte das Essen *auftragen lassen*.**
He had had the meal served.

2. When **sehen** or **hören** is used with an infinitive, it may or may *not* have a double infinitive in the perfect tenses:

**Ich habe ihn *singen hören*** (or ***gehört***).
I heard him singing.

**Er hat ihn *kommen sehen*** (or *gesehen*).
He saw him coming.

**E. REFLEXIVE VERBS**

1. Certain verbs in German can use a reflexive pronoun to complement or extend their meaning (see Appendix XI, H, 1 for a list of reflexive pronouns). Thus **erinnern** (to *remind*) can be extended to mean *remember* by adding the reflexive pronoun:

**Er hatte mich an meinen Vater erinnert.**
He had reminded me of my father.

***Ich* erinnerte *mich* an meinen Vater.**
I remembered my father. (literally: I reminded myself of my father.)

2. Many verbs are formed this way and are called reflexive verbs:

**Auf dich kann man sich verlassen.**
One can rely on you.

**Ich habe mich um nichts gekümmert.**
I was concerned with nothing.

**Ich setze mich auf den Stuhl.**
I sit down on the chair.

**Da habe ich mich nach allen Seiten umgeschaut.**
Then I looked all around.

3. If there is more than one object in the sentence, the reflexive pronoun is in the dative (except with verbs which take a double accusative). Compare:

**Ich wasche *mich*.** (acc.)
I wash myself. (only one object)

**Ich wasche *mir* die Hände.**
I wash my hands. (**Hände** is the direct object, the reflexive is the dative object.)

**Ich habe mir ein Haus bauen lassen.**
I had a house built (for myself).

## V. Verbs: COMPOUND VERBS, IMPERSONAL USE OF VERBS, *schon*

### A. SEPARABLE AND INSEPARABLE PREFIXES

1. In German, many verbs have evolved which are composed of a basic or simple verb plus a prefix (such as English *look* and *overlook*):

| gehen | begehen | entgehen | hinaufgehen |
|-------|---------|----------|-------------|
| to go | to commit | to escape | to go up |

2. There are two kinds of prefixes: accented prefixes which are separated from the basic verb or stem in main clauses in the present and past tenses, and in the imperative, and unaccented or inseparable prefixes which cannot be detached from the verb stem. Inseparable verbs form their past participles without **ge–**, and separable ones by inserting the **ge** between the prefix and the stem. Compare:

| betréten (*insep.*) | ánmelden (*sep.*) |
|---------------------|-------------------|
| Goldmund *betritt* das Kloster. | Der Vater *meldet* ihn *an.* |
| Goldmund *betrat* das Kloster. | Der Vater *meldete* ihn *an.* |
| Goldmund hat das Kloster *betreten.* | Der Vater hat ihn *angemeldet.* |
| Goldmund wird das Kloster *betreten.* | Der Vater wird ihn *anmelden.* |

3. The separated prefix normally stands at the end of a main clause. In a subordinate clause, however, the whole verb stands at the end unseparated:

Ich weiß, daß er ihn *anmeldet.*
Als er die Straße *hinabging,* begegnete er einem Freund.

4. In an infinitive phrase, **zu** is inserted between the prefix and the stem of separable verbs. Compare:

ohne das Kloster *zu* betreten
ohne ihn an*zu*melden

5. Compound verbs with the prefixes **entgegen, gegenüber, nach, voran,** and **voraus** take dative objects:

**Er ist ihm gegenübergestanden.**
He stood opposite him.

**Er ging *dem Jungen* voran.**
He preceded the boy.

### B. IMPERSONAL USE OF VERBS

1. Many verbs in German may be used impersonally, i.e., with the pronoun **es** as their subject:

**Es regnet sehr viel im Sommer.**
It rains very much in summer.

**Heinrich, mir graut's vor dir!**
Henry, I shudder at the sight of you.

**Und nun begab es sich, daß ein neues Gesicht im Kloster erschien.**
And it now happened that a new face appeared in the monastery.

2. Very few German verbs are used impersonally only. Many are capable of both personal and impersonal use:

| *Impersonal* | *Personal* |
| --- | --- |
| **Es begab sich, daß . . .** | **Er begab sich in sein Büro.** |
| It happened that . . . | He went into his office. |
| **Es fehlt mir das Geld.** | **Fritz fehlt heute.** |
| I do not have the money. | Fritz is absent today. |
| **Es tut mir leid.** | **Sie tut uns leid.** |
| I am sorry. | We are sorry for her. |

3. **Es gibt** (*there is, there are*) is always used in the third person singular and is always followed by an accusative object. It is used to assert existence in a general sense:

**Es gibt keinen idealen Staat.**
There is no ideal state (in existence).

Es gibt viele Menschen auf der Welt.
There are many people in the world.

4. **Es ist** (*there is*) and **es sind** (*there are*) are used in more specific and definitive statements. Compare:

*Es gibt* viele Windmühlen in Holland.
There are many windmills in Holland.

*Es sind* zwanzig Schüler in der Klasse.
There are twenty pupils in the class.

*Es gibt* keinen unbestechlichen Beamten.
There is no (such thing as an) incorruptible official.

*Es ist* kein Beamter im Büro.
There isn't an official in the office.

### c. *schon*
The adverb **schon** has the following meanings.

*a.* already, before:

Er ist *schon* aufgestanden.
He has gotten up already.

*b.* it can imply that something is sufficient or that further effort or concern is superfluous:

Das ist *schon* gut.
That's fine. (That's enough.)

Er wird es *schon* machen.
He'll do it, all right. (Further concern is not necessary.)
Don't worry, he'll do it.

*c.* impatience:

Wie heißt er *schon?*
Well, what *is* his name?

*d.* concession:

Ich gebe *schon* zu, daß dem so ist.
I concede that this is true.

## VI. Verbs: THE PASSIVE VOICE, SUBSTITUTES FOR THE PASSIVE VOICE

### A. THE ACTIVE AND THE PASSIVE VOICE

1. In the active voice the subject of the verb is performing an action. In the passive voice the subject of the verb is receiving the action. Compare:

| *Active Voice* | *Passive Voice* |
| --- | --- |
| He reads every sentence. | Every sentence is read by him. |
| She wrote a book. | A book was written by her. |
| They are wearing skirts short now. | Skirts are being worn short now. |

2. The passive voice in English is formed by using the verb *to be* with a past participle. The past participle is always constant from tense to tense. The form of the auxiliary varies according to person and tense:

The secretary *is appointed* to his office.
The secretary *was appointed* to his office.
The secretary *has been appointed* to his office.
The secretary *had been appointed* to his office.
The secretary *will be appointed* to his office.
The secretary *will have been appointed* to his office.

3. The passive voice in German is formed in much the same way as in English. The auxiliary used, however, is **werden,** and the past participle normally stands at the end of the clause. The past participle of the passive auxiliary in the perfect tense is **worden.** Compare the forms of **werden** as an independent verb and as the passive auxiliary:

| *Active Voice* | *Passive Voice* |
| --- | --- |
| Er *wird* alt. | Das Buch *wird* schnell *geschrieben.* |
| Er *wurde* alt. | Das Buch *wurde* schnell *geschrieben.* |
| Er *ist* alt *geworden.* | Das Buch *ist* schnell *geschrieben worden.* |
| Er *war* alt *geworden.* | Das Buch *war* schnell *geschrieben worden.* |
| Er *wird* alt *werden.* | Das Buch *wird* schnell *geschrieben werden.* |
| Er *wird* alt *geworden sein.* | Das Buch *wird* schnell *geschrieben worden sein.* |

4. Because **werden** is a **sein** verb, **sein** is always used as its auxiliary in the perfect tense of the passive voice.

5. The passive infinitive (**geschrieben werden** = *to be written*) is frequently used with a modal auxiliary:

**Das Buch *muß* schnell *geschrieben werden.***
The book *must be written* quickly.

**Das Haus soll bald gebaut werden.**
The house is supposed to be built soon.

**Das Haus kann bald gebaut werden.**
The house can soon be built.

6. Occasionally the perfect passive infinitive (**gebaut worden sein** = *to have been built*) is used with a modal:

**Das Haus muß von ihm *gebaut worden sein*.**
The house *must have been built* by him.

**Die Maschine soll in New York gebaut worden sein.**
The machine is said to have been built in New York.

7. If the agent or doer of the action in the passive voice is a person, **von** is used to express this relationship. If the agent is a thing, **mit** or **durch** is used:

**Er ist *durch* den schweren Schlag getötet worden.**
He was killed *by* the heavy blow.

**Der Verband wird *mit* der Schere aufgeschnitten.**
The bandage is cut open *with* the shears.

**Der Verband wird *von* Feldwebel Maier abgenommen.**
The bandage is removed *by* Sergeant Maier.

**B. THE PAST PARTICIPLE AS A PREDICATE ADJECTIVE**
1. The past participle is sometimes used as a predicate adjective. Its function is to describe a particular state in which an object happens to be:

The suit is *old* and *worn*.

Both *old* and *worn* describe the state of the suit in the above sentence; *old* is an adjective, and *worn* is the past participle of *wear* functioning as an adjective.

2. A German sentence containing a past participle as a predicate adjective should not be confused with a passive sentence. It does resemble the English passive because of the verb **sein**, but it is not passive and does not describe an action, but a state. Compare:

| *Statal* | *Passive Voice* |
|---|---|
| **Das Haus war gut gebaut.** | **Das Haus wurde gut gebaut.** |
| The house was well-built. | The house was being built well. |
| **Das Büro ist schon geschlossen.** | **Das Büro wird um fünf Uhr geschlossen.** |
| The office is already closed. | The office is closed at five o'clock. |

### C. DATIVE OBJECTS

Verbs having a dative object keep that dative in the passive voice:

| *Active* | *Passive* |
|---|---|
| **Man hat *ihm* geholfen.** | ***Ihm* ist geholfen worden.** |
| One helped him. | He was (has been) helped. |
| **Man antwortete *ihm*.** | ***Ihm* wurde geantwortet.** |
| One answered him. | He was answered. |

### D. THE IMPERSONAL PASSIVE

Intransitive verbs are often used in German in the passive voice. Such sentences are impersonal and cannot be rendered in the same manner in English:

> **Darüber ist schon viel gesprochen worden.**
> Much has already been said about that.

> **Hier wird fleißig gearbeitet.**
> People are working diligently here.

> **Im Dorf wurde darüber nicht gesprochen.**
> Nothing was said about it in the village.

**E. SUBSTITUTES FOR THE PASSIVE**

The passive voice is not as frequent in German as in English and can be avoided as follows:

*a.* By using a reflexive verb:

**Das kocht sich bald.**
That will soon be cooked.
The water will soon come to a boil.

*b.* By using **lassen** reflexively:

**Das läßt sich machen.**
That can be done.

**Ich lasse mich nicht stören.**
I won't be disturbed.

*c.* By using **man** as the subject:

**Man hat mir gesagt, daß er im Büro sei.**
I was told that he was in the office.

**Hier darf man nicht rauchen.**
Smoking is not permitted here.

*d.* By using **sein** with the active infinitive preceded by **zu**:

**Das ist leicht zu machen.**
That can be done easily.

**Es ist nicht zu glauben.**
It cannot be believed.
It is incredible.

# VII. Verbs: SUBJUNCTIVE MOOD, CONDITIONAL, WISHES, *als ob* CLAUSES

**A. THE PRESENT SUBJUNCTIVE I AND II**

1. The present subjunctive I is formed by adding the subjunctive endings to the stem of the present infinitive. The subjunctive II is formed by adding these endings to the stem of the past indicative:

| *Weak Verb:* **leben** | | *Strong Verb:* **gehen** | |
|---|---|---|---|
| pres. stem | past stem | pres. stem | past stem |
| **leb–** | **lebt–** | **geh–** | **ging–** |
| I | II | I | II |
| ich lebe | ich lebte | ich gehe | ich ginge |
| du lebest | du lebtest | du gehest | du gingest |
| er lebe | er lebte | er gehe | er ginge |
| wir leben | wir lebten | wir gehen | wir gingen |
| ihr lebet | ihr lebtet | ihr gehet | ihr ginget |
| sie leben | sie lebten | sie gehen | sie gingen |

2. The present subjunctive II of weak verbs is the same as the past indicative.

3. The following weak verbs add umlaut in the present subjunctive II.

*a.* All the modals except **sollen** and **wollen**:

| I | II | I | II |
|---|---|---|---|
| er dürfe | er dürfte | er solle | er sollte |
| er könne | er könnte | er wolle | er wollte |
| er möge | er möchte | | |
| er müsse | er müßte | | |

*b.* denken, bringen, wissen:

| I | II |
|---|---|
| er denke | er dächte |
| er bringe | er brächte |
| er wisse | er wüßte |

*c.* haben:

| I | II |
|---|---|
| er habe | er hätte |

4. Irregular weak verbs, with the exception of **denken** and **bringen** (see above), have the following forms:

| I | II |
|---|---|
| es brenne | es brennte |
| er kenne | er kennte |
| er nenne | er nennte |
| er renne | er rennte |
| er sende | er sendete |
| er wende | er wendete |

5. All strong verbs whose past stem has a vowel that can take an umlaut ( **a, o, u** ) receive an umlaut in the present subjunctive II:

| I | II |
|---|---|
| er singe | er sänge |
| er fahre | er führe |
| er gebe | er gäbe |

6. A few strong verbs whose past indicative stem is in **a** ( **sterben, starb; stehen, stand** ) change the stem vowel to **ü** in the present subjunctive II:

| I | II |
|---|---|
| er helfe | er hülfe |
| er sterbe | er stürbe |
| er stehe | er stünde *or* stände |
| er werfe | er würfe |

7. Strong verbs whose stem vowel in the present indicative, second and third person singular, changes to i(ie) or ä ( **werden, wird; fahren, fährt** ) retain the original vowel in the subjunctive:

| Indicative | | Subjunctive | |
|---|---|---|---|
| ich werde | ich fahre | ich werde | ich fahre |
| du wirst | du fährst | du werdest | du fahrest |
| er wird | er fährt | er werde | er fahre |

8. **sein** has no **e** ending in the first and third person of the singular subjunctive I:

ich sei, er sei

### B. THE PAST SUBJUNCTIVE

The past subjunctive is a compound tense consisting of the present subjunctive I or II of the proper auxiliary ( **haben** or **sein** ) plus the past participle:

| Past Subjunctive I | Past Subjunctive II |
|---|---|
| ich habe es gesagt | ich hätte es gesagt |
| du habest es gesagt | du hättest es gesagt |
| er habe es gesagt | er hätte es gesagt |
| wir haben es gesagt | wir hätten es gesagt |
| ihr habet es gesagt | ihr hättet es gesagt |
| sie haben es gesagt | sie hätten es gesagt |

ich sei dorthin gegangen      ich wäre dorthin gegangen
du seiest dorthin gegangen    du wärest dorthin gegangen
er sei dorthin gegangen       er wäre dorthin gegangen

wir seien dorthin gegangen    wir wären dorthin gegangen
ihr seiet dorthin gegangen    ihr wäret dorthin gegangen
sie seien dorthin gegangen    sie wären dorthin gegangen  ·

### c. THE FUTURE SUBJUNCTIVE

The future subjunctive is formed by using the auxiliary **werden** in its subjunctive form plus an infinitive:

| *Future Subjunctive* I | *Future Subjunctive* II |
|---|---|
| ich werde es sagen | ich würde es sagen |
| du werdest es sagen | du würdest es sagen |
| er werde es sagen | er würde es sagen |
| wir werden es sagen | wir würden es sagen |
| ihr werdet es sagen | ihr würdet es sagen |
| sie werden es sagen | sie würden es sagen |

### d. THE FUTURE PERFECT SUBJUNCTIVE

The future perfect subjunctive is formed by using the auxiliary **werden** in its subjunctive form plus a perfect infinitive:

| *Future Perfect Subjunctive* I | *Future Perfect Subjunctive* II |
|---|---|
| ich werde es gesagt haben | ich würde es gesagt haben |
| du werdest es gesagt haben | du würdest es gesagt haben |
| er werde es gesagt haben | er würde es gesagt haben |
| wir werden es gesagt haben | wir würden es gesagt haben |
| ihr werdet es gesagt haben | ihr würdet es gesagt haben |
| sie werden es gesagt haben | sie würden es gesagt haben |

### e. REAL AND UNREAL CONDITIONS

1. Conditional sentences which are real, possible, or probable of fulfillment are in the indicative mood:

**Wenn er dich *sieht*, *wird* er dich sprechen wollen.**
If he sees you, he'll want to speak to you.

**Wenn es *regnet*, *bleiben* wir zu Hause.**
If it rains, we'll stay home.

2. When conditions are unreal, contrary to fact, or doubtful of fulfillment, the subjunctive ɪɪ is used:

**Wenn es nicht geregnet *hätte*, *wären* wir nicht zu Hause geblieben.**
If it had not rained, we would not have stayed at home. (But it did in fact rain, and we did stay at home.)

3. Only the subjunctive ɪɪ is used to express unreal conditions. In present time the present subjunctive ɪɪ is used in the **wenn** clause, and the present subjunctive ɪɪ, or the future subjunctive ɪɪ, is used in the conclusion:

**Wenn er jetzt zu Hause wäre,** $\begin{cases} \textbf{telefonierte er uns.} \\ \textbf{würde er uns telefonieren.} \end{cases}$

If he were at home now, he would telephone us.

4. Conditional sentences in past time use the past subjunctive ɪɪ in the **wenn** clause and the past subjunctive ɪɪ, or the future perfect subjunctive ɪɪ, in the conclusion:

**Wenn er gestern zu Hause gewesen wäre,** $\begin{cases} \textbf{hätte er uns telefoniert.} \\ \textbf{würde er uns telefoniert haben.} \end{cases}$

If he had been at home yesterday, he would have telephoned us.

5. Sometimes the two clauses in a conditional sentence are in different times:

**Wenn wir ihm gestern geholfen hätten,** $\begin{cases} \textbf{wäre er jetzt schon fertig.} \\ \textbf{würde er jetzt schon fertig sein.} \end{cases}$
If we had helped him yesterday, he would be finished now.

6. If the conjunction **wenn** is omitted in a conditional sentence, the finite verb takes its place, and the conclusion is usually introduced by the word **so** or **dann**:

**Hätten wir ihm gestern geholfen, dann wäre er jetzt schon fertig.**
Had we helped him yesterday, he would be finished now.

**Wäre es möglich, dann würde er uns helfen.**
If it were possible, he would help us.

7. The **wenn** clause may stand before or after the conclusion:

**Wenn er älter wäre, verstünde er es.**
If he were older, he would understand it.

**Er verstünde es, wenn er älter wäre.**
He would understand it if he were older.

8. The subjunctive II often occurs in sentences which are conclusions to an *if* clause that could be inferred from the context:

**Du würdest ihn sehr gern mögen.**
You would like him very much (if you knew him).

**Das wäre sehr schön.**
That would be very nice.

**Ich würde mich sehr freuen.**
I would be very happy.

### F. WISHES

Wishes that are doubtful or impossible of fulfillment are in the subjunctive II. They are actually **wenn** clauses without a conclusion. Normally the adverb **nur** or **doch** is found in such wishes:

**Wenn er nur hier gewesen wäre!**
If only he had been here!

**Wenn sie ihn nur liebte!**
If she only loved him!

**Bliebe er nur etwas länger!**
If only he would stay longer!

**Wenn er es nur nicht merkte!**
If only he wouldn't notice!

**Dächte er doch mal an mich!**
If only he would think of me!

G. CLAUSES WITH ALS OB (ALS WENN)

1. Clauses with **als ob** or **als wenn** are usually in the subjunctive II, although the subjunctive I also occurs:

> **Er arbeitete, als ob es ihm sehr leicht fiele (falle).**
> He worked as if it were very easy.

> **Er tat so, als ob er nicht verstanden hätte (habe).**
> He acted as if he hadn't understood.

> **Er sprach so fließend, als wenn er ein Deutscher wäre.**
> He spoke as fluently as if he were a German.

2. Sometimes **wenn** or **ob** is omitted and its place is then taken by the finite verb:

> **Er tut, als könnte er nicht bis drei zählen.**
> He acts as if he couldn't count to three.

> **Er tat so, als hätte er nicht verstanden.**
> He acted as if he hadn't understood.

## VIII. Verbs: INDIRECT DISCOURSE, COMMANDS, SUGGESTIONS

A. INDIRECT DISCOURSE

1. Indirectly restated speech is in the subjunctive mood in German:

| *Direct* | *Indirect* |
|---|---|
| „Ich schreibe einen Brief." | Er sagte, er *schreibe* einen Brief. |
| "I am writing a letter." | He said he was writing a letter. |

2. Normally the subjunctive I form is preferred in indirect discourse, but if the subjunctive I form is identical to the indicative form, the subjunctive II form must be used. (Sometimes the subjunctive II form is used even when the I form would not have been identical to the indicative form.):

> **Er sagte, er *schreibe* einen Brief.**
> He said he was writing a letter.

**Sie sagten, sie *schrieben* einen Brief.** (Form ı would be identical to the indicative.)
They said they were writing a letter.

3. The tense of the subjunctive used in an indirect statement in German depends upon the tense of the direct statement:

| Direct | Indirect |
|---|---|
| present indicative | present subj. ı or ıı |
| past indicative ⎫<br>present perfect ⎬<br>past perfect ⎭ | past subj. ı or ıı |
| future indicative | future subj. ı or ıı |
| future perfect | future perfect subj. ı or ıı |

Observe the following examples:

| Direct | Indirect |
|---|---|

PRESENT
　Er sagte:　　　　　　　　　　　　　Er sagte,

„Ich gehe morgen nach Hause."　　　er **gehe** morgen nach Hause.

„Wir gehen morgen nach Hause."　　sie **gingen** morgen nach Hause.

PAST TENSES
　Er sagte:　　　　　　　　　　　　　Er sagte,

„Er zündete sich seine Pfeife an."
„Er hat sich seine Pfeife ange-　　　er **habe** sich seine Pfeife angezün-
　zündet."　　　　　　　　　　　　　det.
„Er hatte sich seine Pfeife ange-
　zündet."

„Sie verhafteten ihre Offiziere."
„Sie haben ihre Offiziere verhaf-　　sie **hätten** ihre Offiziere verhaftet.
　tet."
„Sie hatten ihre Offiziere verhaf-
　tet."

|  Direct | Indirect |
|---|---|

**FUTURE**
Er sagte:                         Er sagte,

„Die Regierung wird bald zurück-     die Regierung **werde** bald zurück-
treten.''                            treten.

„Die Arbeiter werden die Betriebe    die Arbeiter **würden** die Betriebe
stillegen.''                         stillegen.

**FUTURE PERFECT**
Er sagte:                         Er sagte,

„Ein Telegramm wird wohl ge-      ein Telegramm **werde** wohl gekommen sein.''                       kommen sein.

„Telegramme werden wohl ge-       Telegramme **würden** wohl gekom-
kommen sein.''                       men sein.

4. If the introductory verb is in the present tense, the subjunctive is usually not used in the indirect statement:

**Er *sagt*, er *geht* nach Hause.**
He says he is going home.

**B. INDIRECT COMMANDS AND REQUESTS**

Commands in indirect discourse are rendered with the present subjunctive I or II of **sollen** (occasionally **müssen**), and requests use the present subjunctive I or II of **mögen**:

|  Direct | Indirect |
|---|---|

„Hole deinen Hut, Karl!''    Er sagte, daß Karl seinen Hut holen
                             *solle* (*sollte*).

„Helfen Sie mir bitte!''     Er sagte, ich *möchte* (*möge*) ihm
                             helfen.

**C. INDIRECT QUESTIONS**

Questions in indirect discourse are rendered exactly like indirect statements. In the absence of an interrogative (**wann, wo, wer**) the conjunction **ob** is used:

| *Direct* | *Indirect* |
|---|---|
| „Wann kommt der Zug an?" | Er fragte, wann der Zug *ankomme.* |
| "When does the train arrive?" | He asked when the train arrived. |
| „Wo hat er sich versteckt?" | Er fragte, wo er sich versteckt *habe.* |
| "Where did he hide?" | He asked where he had hidden. |
| „Habt ihr ihn besucht?" | Er fragte uns, ob wir ihn besucht *hätten.* |
| "Did you visit him?" | He asked us if we had visited him. |

### D. IMPERATIVE OF THE FIRST AND THIRD PERSON

The present subjunctive I form is used to express a command or exhortation in the first and third person:

> **Gehen wir ins Kino!**
> **Wollen wir ins Kino gehen!**
> Let's go to the movies.

> **Man fange jetzt an!**
> Begin now.

> **Er komme nur!**
> Just let him come.

> **Man nehme die Sahne und vermische sie mit dem Mehl!**
> Take the cream and mix it with the flour.

### E. CLAUSES OF PURPOSE

Clauses of purpose, which are usually introduced by **damit** (or **daß**), use the present subjunctive I or II if the introductory verb is in a past tense:

> **Sie wählten Delegierte, damit sie einen Soldatenrat bilden *könnten.***
> They elected delegates so that they might form a soldiers' council.

> **Er hat uns geholfen, damit er belohnt *würde* (*werde*).**
> He helped us so that he would get a reward.

Er arbeitete fleißig, damit er etwas *lerne* (*lernte*).
He worked diligently in order to learn something.

but

Er *arbeitet* fleißig, damit er etwas *lernt*.


**F. STEREOTYPED WISHES**

Stereotyped wishes are in the subjunctive I:

| | |
|---|---|
| Gott sei uns gnädig! | God be merciful to us! |
| Es lebe die Schweiz! | Long live Switzerland! |
| Gott verhüte! | God forbid! |
| Gott sei Dank! | Thank God! |


## IX. Verbs: WORD ORDER, EXTENDED MODIFIERS

**A. MAIN CLAUSES**

1. Position of the verb

   *a.* In English the subject is usually the first element of a main clause. This is frequently *not* the case in German. Any element may stand at the beginning of a main clause, but the finite verb (i.e., the verb which takes the personal ending) is the second element:

   [    1    ] [ 2 ] [           3           ] [         4         ]
   **Der Junge gibt dem alten Mann(e) einen neuen Mantel.**
   *The boy* gives the old man a new coat.

   [           3           ] [ 2 ] [    1    ] [         4         ]
   **Dem alten Mann(e) gibt der Junge einen neuen Mantel.**
   The boy gives *the old man* a new coat.

   [         4         ] [ 2 ] [    1    ] [           3           ]
   **Einen neuen Mantel gibt der Junge dem alten Mann(e).**
   The boy gives the old man *a new coat.*

   No semantic change has taken place in the above sentences. There is merely a shift of emphasis as indicated by the italics in the English translation.

  *b.* The first element may also be a subordinate clause or a phrase:

    **Als der Tag graute, versahen sie sich mit Äxten.**
    When the day dawned, they equipped themselves with axes.

    **Als er in die Stube trat, sah er den alten Mann.**
    When he stepped into the room, he saw the old man.

    **Ohne den alten Mann anzusehen, fing er an zu sprechen.**
    Without looking at the old man he began to speak.

2. Questions, commands, wishes, and concessions

    *a.* In questions, commands, wishes, and concessions the finite verb stands first:

    **Kommt er morgen?**
    Is he coming tomorrow?

    **Betrachten wir jetzt die Folgen dieser Fehler!**
    Let us now consider the results of these errors.

    **Gehen Sie bitte hinein!**
    Go in, please.

    **Wäre er nur hier!**
    If only he were here!

    **Ist er auch so ehrlich!**
    However honest he may be.

    *b.* If an interrogative is employed in a question, then the finite verb follows the interrogative and becomes the second element once more:

    **Wann kommt er?**
    When is he coming?

    **Warum kommt er nicht morgen?**
    Why doesn't he come tomorrow?

    *c.* If **wenn** is used in a wish clause, the finite verb stands last (see B, 4 of this lesson):

    **Wenn er nur hier wäre!**
    If only he were here!

*d.* If **wenn, wie,** or **was** are employed in a concessive statement, then the finite verb stands last:

**Wenn er auch noch so ehrlich ist!**
However honest he may be!

**Wie er auch heißen mag . . .**
No matter what his name is . . .

**Was er auch sagen mag, ist es nicht wahr.**
Whatever he may say, it is not true.

3. Adverbs of time, manner, and place
   *a.* Adverbs of time, manner, and place appear in the following order:

$$[t] \; [ \quad m \quad ] \; [ \quad p \quad ]$$
**Er geht oft sehr schnell über die Brücke.**
He often goes over the bridge very quickly.

*b.* Any one of these adverbs may be placed at the beginning of the sentence for emphasis:

**Sehr schnell geht er oft über die Brücke.**
**Oft geht er sehr schnell über die Brücke.**
**Über die Brücke geht er oft sehr schnell.**

Note that the finite verb is the second element and that the order of the adverbs *after* the verb conforms to the sequence of time, manner, and place.

4. Position of objects
   *a.* The indirect object precedes the direct object unless the direct object is a personal pronoun:

$$[ \quad indirect \quad ] \; [ \quad direct \quad ]$$
**Er gibt dem alten Mann(e) das neue Buch.**
He is giving the new book to the old man.

$$[ \, i \, ] \; [ \quad d \quad ]$$
**Er gibt ihm das neue Buch.**
He is giving him the new book.

[d] [                    i                ]
**Er gibt es dem alten Mann(e).**
He is giving it to the old man.

[d] [ i ]
**Er gibt es ihm.**
He is giving it to him.

b. For emphasis any object may begin a main clause:

**Dem alten Mann(e) gibt er den neuen Mantel.**
He is giving the new coat *to the old man.*

**Den neuen Mantel gibt er dem alten Mann(e).**
He is giving *the new coat* to the old man.

c. If an indirect object is modified by a clause, or if it requires particular emphasis, it may follow the direct object even if the direct object is a noun:

**Er gab das Buch *dem Lehrer*, der es lesen wollte.**
He gave the book to the teacher who wanted to read it.

**Er gab das Buch *dem Lehrer*.** (i.e., not to some other person.)

5. Elements found at the end of a main clause
   a. The infinitive stands at the end of the clause:

**Er muß morgen in die Stadt *fahren*.**
He has to travel to town tomorrow.

**Er wird es schon *wissen*.**
He probably knows it.

**Er muß es selbst getan *haben*.**
He must have done it himself.

**Dort wollten sie eine Erbschaft *erheben*.**
They wanted to take possession of an inheritance there.

*Note:* The perfect infinitive consists of the past participle plus the present infinitive (**gefunden haben** = *to have found*; **gegangen sein** = *to have gone*). The passive infinitive consists of the past participle plus **werden** (**gemacht werden** = *to be made*). These stand at the end of a main clause. They are never separated and always appear in the order of past participle plus infinitive:

**Er muß es** *gewußt haben.*
He must have known it.

**Er wird es schon** *gefunden haben.*
He has probably found it.

**Er muß schon** *aufgestanden sein.*
He must have gotten up already.

**Das muß jeden Morgen** *gemacht werden.*
That must be done every morning.

*b.* The infinitive stands at the end of an infinitive phrase:

**um das Dorf zu** *erreichen*
in order to reach the village

**ohne ihn** *anzusehen*
without looking at him

**um den Prediger** *anzuhören*
in order to listen to the preacher

**um ihr ausgelassenes Geschäft zu** *beginnen*
in order to begin their unruly business

*c.* In the present and simple past tenses the separable prefix stands at the end of a main clause:

**Er kommt morgen um zehn Uhr** *an.*
He is arriving tomorrow at ten.

**Sie gingen in das Haus** *hinein.*
They were going into the house.

**Drei Brüder trafen in der Stadt Aachen** *zusammen.*
Three brothers met in the city of Aachen.

**Sie kehrten in einem Gasthof** *ein.*
They put up at an inn.

*d.* Verb complements (elements which complete the meaning of a verb) stand at the end of a main clause in the present and simple past tenses (unless there is an infinitive):

**Diese Neuerungen *traten* um die Jahrhundertwende *in Erscheinung.***

These innovations *appeared* at the turn of the century.

**Ich *stehe* Ihnen den ganzen Tag *zur Verfügung.***
I *am at* your *disposal* for the entire day.

but

**Ich muß Ihnen den ganzen Tag zur Verfügung *stehen.***

*e.* If there are no infinitives, participles, separable prefixes, or verb complements in a main clause, then adverbs like **nicht** and **nie** may stand at the end *if they modify the finite verb:*

**Er hilft seinem Vater *nie.***
He never helps his father.

**Unser Lehrer fragt uns *nie.***
Our teacher never asks us questions.

**Das hilft uns *nicht.***
That doesn't help us.

If they do *not* modify the finite verb, they stand directly before the element they modify:

**Er war *nie* klug.**
He was never clever.

**Er war dazu *nicht* fähig.**
He wasn't capable of doing it.

If the negated word appears first for emphasis, the negative appears last:

**Klug war er *nie.***

*f.* Coordinating conjunctions (**und, oder, sondern, denn, allein**) have absolutely no effect upon the word order:

**Denn er wußte es nicht.**
For he did not know it.

**Fliegt er oder fährt er mit dem Wagen?**
Is he flying or driving by car?

**Er springt und sie lacht.**
He jumps and she laughs.

g. Because the elements at the end of a German sentence are so important to the meaning of the whole, an entire sentence must be read through before the meaning of the verb can be accurately determined. Note the different meaning of the common verb **ist** in the following sentences:

**Er ist Prediger in den Niederlanden.**
He *is* a preacher in the Netherlands.

**Er ist Prediger in den Niederlanden geworden.**
He *has* become a preacher in the Netherlands.

**Das Buch ist leicht zu bekommen.**
The book *can* be obtained easily.

**B. SUBORDINATE OR DEPENDENT CLAUSES**

1. Position of the verb
   a. A dependent or subordinate clause is introduced by a subordinating conjunction (see list of them in Section I of the Addenda) or a relative pronoun (see Appendix XI, D, 4). The finite verb stands at the end of the clause:

**Als der Tag *graute*, versahen sie sich mit Äxten.**
When the day dawned, they equipped themselves with axes.

**Als er die Tür *aufmachte*, fiel ihm ein, daß er sein Buch vergessen *hatte*.**
When he opened the door, it occurred to him that he had forgotten his book.

**Obgleich er in die Stadt fahren *wollte*, blieb er zu Hause.**
Although he intended to go to town, he stayed at home.

**Der Bruder, der in Antwerpen angestellt *war*, war Prediger.**
The brother, who was employed in Antwerp, was a preacher.

2. Separable prefixes

    *a.* Separable prefixes are not separated from the finite verb in a dependent clause:

**Als er in der Stadt *ankam*, traf er einen alten Freund.**
When he arrived in the city, he met an old friend.
but

**Er *kam* gestern in der Stadt *an.***
He arrived in the city yesterday.

3. Double infinitives

    *a.* In a subordinate clause, a double infinitive stands at the end and the finite verb stands directly before the double infinitive (see Appendix IV, C):

**In dem Ort war niemand, an den sie sich *hätten wenden können.***
In the village there was no one to whom they could have turned.

4. *if* and *when* clauses

    *a.* **wenn** (*if, when, whenever*) is a subordinating conjunction, and **wenn** clauses require dependent word order:

**Wenn er morgen kommt, sollst du ihn schön grüßen.**
When he comes tomorrow, you are to greet him nicely.

    *b.* If **wenn** is omitted, then the verb comes first and the main clause is introduced by **so** or **dann**:

**Hätte er ihn sehen wollen, so (dann) würde er es uns gesagt haben.**
Had he wanted to see him, he would have told us.

    *c.* Although English can often express *if* by starting a sentence with the verb, it is impossible to do this in many sentences. German can omit **wenn** even when it means *when*; this is not possible in English:

**Kommt er, so (dann) sollst du ihn grüßen.**
When he comes, you are to greet him.

## 5. als ob

*a.* als ob (*as if*) or als wenn (*as if*) clauses require dependent word order:

**Er sieht aus, als ob er krank wäre.**
He looks as if he were sick.

**Er arbeitete, als wenn es um sein Leben ginge.**
He was working as if his life depended upon it.

*b.* ob and wenn may be omitted, in which case the finite verb stands immediately after als:

**Er sieht aus, als wäre er krank.**
He looks as if he were sick.

**Er arbeitete, als ginge es um sein Leben.**
He worked as if his life depended upon it.

### C. EXTENDED MODIFIERS

Types of modifiers

*a.* Nouns may be modified by adjectives (*the, red, this, green*), by present participles (*walking, seeing, working*), or past participles (*cooked, sung, finished*):

**das rote Haus**
the red house

**der schlafende Mann**
the sleeping man

**die gegründete Gesellschaft**
the founded company

*b.* Sometimes the meaning of a modifier may be extended by the addition of more words:

**das erwähnte Werk**
the mentioned work

**das oben erwähnte Werk**
the above-mentioned work

c. The ability of English to extend the meaning of a modifier by putting more words in front of it is extremely limited. We can say in English "the above-mentioned work," but we could never say "the yesterday mentioned work." German, on the other hand, can extend the meaning of a modifier by inserting almost any number of words before it:

**das gestern erwähnte Werk**
the work mentioned yesterday

**das gestern von Herrn Schmidt erwähnte Werk**
the work mentioned yesterday by Mr. Smith

Study the following examples carefully:

**Er setzte sich auf eine im Schatten eines alten Baumes stehende Bank.**
He sat down on a bench standing in the shade of an old tree.

**Durch die Haustür betrat man eine geräumige, mit Steinfliesen versehene Diele.**
From the front door one entered a spacious foyer paved with flagstones.

**Alte mit Staub bedeckte Bücher lagen auf dem Tisch.**
Old books which were covered with dust lay on the table.

## X. DEFINITE AND INDEFINITE ARTICLES, USE OF CASES, PLURAL OF NOUNS, WEAK NOUNS

### A. THE NOMINATIVE CASE

1. The form of the definite and indefinite articles (as well as other attributive modifiers) varies according to the gender, number, and case of the noun they modify. In the nominative case they have the following forms:

|  | *Singular* |  |
|---|---|---|
| *Masculine* | *Feminine* | *Neuter* |
| der Mann | die Frau | das Mädchen |
| ein Mann | eine Frau | ein Mädchen |
| der Hut | die Tür | das Buch |
| ein Hut | eine Tür | ein Buch |

*Plural*

| die Männer | die Frauen | die Mädchen |
| keine Männer | keine Frauen | keine Mädchen |
| die Hüte | die Türen | die Bücher |
| keine Hüte | keine Türen | keine Bücher |

*Note:* **kein** is used here in place of **ein** which has no plural.

2. Use of the nominative case

   *a.* The doer or subject of a sentence is in the nominative case. In German this case is called the **Werfall** (*who-case*) because it indicates *who* (or *what*) is the subject of the sentence:

**Der Polizist stand vor der Tür. (Wer stand vor der Tür?)**
The policeman was standing in front of the door.

**Die Tür blieb Tag und Nacht verschlossen.**
The door remained locked day and night.

**Das Zimmer sah durchaus nicht unbehaglich aus.**
The room did not look at all uncomfortable.

   *b.* Nouns which follow linking verbs (e.g., **sein, werden, bleiben**) also answer the question *who* and are in the nominative case:

**Das ist *der Polizist*. (Wer ist das?)**
That is the policeman.

**Im Krieg war er *ein Gefangener*.**
In the war he was a prisoner.

**Ist das nicht *eine neue Uhr?***
Isn't that a new watch?

**Das Fenster ist jetzt *die Tür* geworden.**
The window has now become the door.

**Er ist *ein guter Kerl* geblieben.**
He has remained a good fellow.

   *c.* The nominative is also used in direct address:

**Fräulein, bringen Sie mir bitte ein Glas Bier!**
Miss, please bring me a glass of beer.

**W**as machst du da, *mein Kind?*
What are you doing there, my child?

### B. THE ACCUSATIVE CASE

1. Forms of the definite and indefinite articles:

*Singular*

| *Masculine* | *Feminine* | *Neuter* |
|---|---|---|
| den Mann | die Frau | das Mädchen |
| einen Mann | eine Frau | ein Mädchen |
| den Hut | die Tür | das Buch |
| einen Hut | eine Tür | ein Buch |

*Plural*

| | | |
|---|---|---|
| die Männer | die Frauen | die Mädchen |
| keine Männer | keine Frauen | keine Mädchen |
| die Hüte | die Türen | die Bücher |
| keine Hüte | keine Türen | keine Bücher |

2. Use of the accusative case

   *a.* The direct object of a transitive verb is in the accusative case.
   In German it is called the **Wenfall** (*whom-case*):

   **Man hat *den Gefangenen* in einem Hotelzimmer eingesperrt.**
   **(*Wen* hat man eingesperrt?)**
   They locked the prisoner in a hotel room.

   **Der Polizist hatte mir *den Gegenstand* abgenommen.**
   The policeman had taken the object from me.

   **Das Fenster starrte *die Feuermauer* an.**
   The window stared at the fire wall. (i.e., the fire wall blocked
   the view from the window.)

   *b.* For use after certain prepositions see Appendix XIV, A and C.

   *c.* Expressions indicating definite time, extent of time, or space:

   **Den ganzen Tag hat er gearbeitet.**
   He worked all day.

   **den 5. Oktober 1965.**
   October 5, 1965

**Er** ist *eine ganze Meile* gelaufen.

He has run an entire mile.

**Es** ist *keinen Finger* breit.

It is not as wide as my finger.

**C. THE DATIVE CASE**

1. Dative forms of the definite and indefinite articles:

|  | *Singular* |  |
|---|---|---|
| *Masculine* | *Feminine* | *Neuter* |
| dem Mann(e) | der Frau | dem Mädchen |
| einem Mann(e) | einer Frau | einem Mädchen |
| dem Hut(e) | der Tür | dem Buch(e) |
| einem Hut(e) | einer Tür | einem Buch(e) |
|  | *Plural* |  |
| den Männern | den Frauen | den Mädchen |
| keinen Männern | keinen Frauen | keinen Mädchen |
| den Hüten | den Türen | den Büchern |
| keinen Hüten | keinen Türen | keinen Büchern |

*Note:* An optional **e** may be added to monosyllabic masculine and neuter nouns in the dative singular. An **n** must be added to all nouns in the dative plural which do not already end in one (except for a few foreign nouns which end in **s: den Autos**).

2. Use of the dative case.

   *a.* The dative case is the case of the indirect object. In German it is called the **Wemfall** (*to-whom-case* or *for-whom-case*):

   **Die Frau gibt *dem Mann(e)* einen neuen Mantel. (*Wem* gibt sie den Mantel?)**

   The woman gives *her husband* a new coat.

or

   The woman gives a new coat *to her husband*.

   **Der Mann kaufte *seiner Frau* einen neuen Mantel.**

   The man bought *his wife* a new coat.

or

   The man bought a new coat *for his wife*.

*b.* For use after certain prepositions see Appendix XIV, B and C.

*c.* As the idiomatic object of certain verbs:

**Es hat *der Frau* gar nicht gefallen.**
The woman did not like it at all.

**Dem Mann ist etwas Schreckliches passiert.**
Something terrible has happened to the man.

The following are some of the more common verbs with dative objects:

| | | | |
|---|---|---|---|
| *to answer* | antworten | *to resemble* | gleichen |
| *to meet* | begegnen | *to help* | helfen |
| *to thank* | danken | *to profit* | nützen |
| *to serve* | dienen | *to suit* | passen |
| *to follow* | folgen | *to happen* | passieren |
| *to be pleasing* | gefallen | *to harm* | schaden |
| *to obey* | gehorchen | *to seem* | scheinen |
| *to belong to* | gehören | *to telephone* | telefonieren |
| *to succeed* | gelingen | *to trust* | trauen |

*d.* For use with certain adjectives see Appendix XII, C, *a.*

### D. THE GENITIVE CASE

1. Forms of the definite and indefinite articles:

| | Singular | |
|---|---|---|
| *Masculine* | *Feminine* | *Neuter* |
| des Mannes | der Frau | des Mädchens |
| eines Mannes | einer Frau | eines Mädchens |
| des Hutes | der Tür | des Buches |
| eines Hutes | einer Tür | eines Buches |

| | *Plural* | |
|---|---|---|
| der Männer | der Frauen | der Mädchen |
| keiner Männer | keiner Frauen | keiner Mädchen |
| der Hüte | der Türen | der Bücher |
| keiner Hüte | keiner Türen | keiner Bücher |

*Note:* Masculine and neuter nouns of one syllable regularly add an **es(s)** in the genitive singular. Those of more than one syllable regularly add an **s**.

2. Use of the genitive case

    *a.* The genitive case indicates possession. This relationship is indicated in English by the apostrophe and *s* or by the preposition *of.* The German word for genitive is **Wesfall** (*whosecase*):

**Das Geld *des Mannes* ist falsch. (*Wessen* Geld ist falsch?)**
The *man's* money is counterfeit.

**Das Dach *des Hauses* ist aus Stroh.**
The roof *of the house* is of thatch.

**Der Schmuck *der Frau* ist sehr teuer.**
The *lady's* jewelry is very expensive.

**Die Seiten *der Bücher* sind gelb geworden.**
The pages *of the books* have yellowed.

    *b.* For use after certain prepositions see Appendix XIV, D.

    *c.* For use with certain adjectives see Appendix XII, C, *b.*

    *d.* Expressions of indefinite time:

**Eines Tages wird er Arzt werden.**
*Some day* he will become a physician.

### E. NOUNS OF MEASUREMENT

    1. Nouns which indicate measurement, such as weight or number, are not followed by a noun in the genitive case but by one in the same case as the noun of measurement:

| **ein Glas Bier** | **ein Haufen Geld** | **mit einem Glas Bier** |
|---|---|---|
| a glass of beer | a lot of money | with a glass of beer |

| **ein Pfund Butter** | **eine Tasse Kaffee** |
|---|---|
| a pound of butter | a cup of coffee |

    2. If the noun following is modified, it is sometimes in the genitive case, but in colloquial German it will remain in the same case as the noun of measurement:

eine Tasse *heißen*     or     eine Tasse *heißer*
  *Kaffees*                          *Kaffee*
mit einer Tasse heißen   or   mit einer Tasse heißem
  Kaffees                            Kaffee

3. The names of cities, universities, months, etc., when following the noun identifying them, are not inflected:

**die Stadt Frankfurt**  **die Universität Heidelberg**
the city of Frankfurt  the University of Heidelberg

**der Monat Juli**  **am Ende des Monats Juli**
the month of July  at the end of the month of July

### F. PLURAL OF NOUNS

German nouns form their plurals in various ways (rarely by adding s as in English):

1. Some nouns add no plural ending; many of these take umlaut, however.

 *a.* Masculine and neuter nouns ending in **–el, –en, –er:**

| der Bruder | die Brüder | der Wagen | die Wagen |
|---|---|---|---|
| der Laden | die Läden | der Onkel | die Onkel |
| der Mantel | die Mäntel | das Gitter | die Gitter |
| der Vater | die Väter | das Viertel | die Viertel |
|  |  | das Zimmer | die Zimmer |

 *b.* Neuters with the suffixes **–chen** and **–lein** (all nouns having these suffixes are neuter):

| das Mädchen | die Mädchen |
|---|---|
| das Fräulein | die Fräulein |
| das Fähnlein | die Fähnlein |

 *c.* There are only two feminine nouns in this category:

| die Mutter | die Mütter |
|---|---|
| die Tochter | die Töchter |

2. A large group of nouns adds **–e** in the plural.

 *a.* The majority of all masculine nouns; they often add umlaut as well:

| der Sohn | die Söhne | der Tag | die Tage |
|----------|-----------|---------|----------|
| der Baum | die Bäume | der Hund | die Hunde |
| der Hut | die Hüte | der Tisch | die Tische |
| der Chor | die Chöre | | |

*b.* The few feminine nouns in this category always add umlaut:

| die Hand | die Hände | die Braut | die Bräute |
|----------|-----------|-----------|------------|
| die Wand | die Wände | die Maus | die Mäuse |
| die Stadt | die Städte | die Laus | die Läuse |

*c.* The neuters in this group almost never add umlaut:

| das Jahr | die Jahre |
|----------|-----------|
| das Papier | die Papiere |
| das Meer | die Meere |

3. Some nouns add **–er** to form the plural; they always add umlaut if it is possible.

*a.* A few masculines fall into this category:

| der Mann | die Männer |
|----------|------------|
| der Wald | die Wälder |

*b.* A large number of neuters:

| das Bild | die Bilder |
|----------|------------|
| das Haus | die Häuser |
| das Buch | die Bücher |

*c.* There are no feminines.

4. Nouns adding **–n** or **–en** to form the plural; they never add umlaut.

*a.* Most feminine nouns fall into this group:

| die Aufgabe | die Aufgaben | die Feder | die Federn |
|-------------|--------------|-----------|------------|
| die Frau | die Frauen | die Schwester | die Schwestern |
| die Tür | die Türen | die Kartoffel | die Kartoffeln |

*Note:* Feminines ending in **–in** add **–nen**:

| die Freundin | die Freundinnen |
|--------------|-----------------|

*b.* A few neuters fall into this category:

| das Bett | die Betten |
|----------|------------|
| das Auge | die Augen |
| das Ohr | die Ohren |
| das Hemd | die Hemden |
| das Ende | die Enden |

*c.* A few masculines:

| | |
|---|---|
| der Staat | die Staaten |
| der Schmerz | die Schmerzen |
| der Vetter | die Vettern |

5. Foreign nouns

*a.* A few foreign nouns form their plurals with **s**:

| | |
|---|---|
| das Auto | die Autos |
| das Kino | die Kinos |
| das Radio | die Radios |

*b.* Foreign neuter nouns ending in **–um** change their ending to **–en**:

| | |
|---|---|
| das Museum | die Museen |
| das Gymnasium | die Gymnasien |

*c.* Foreign nouns ending in **–or** shift their accent in the plural:

der Proféssor   die Professóren

### G. WEAK NOUNS

1. Masculine nouns ending in **–e** (**der Junge**) and masculine nouns ending in an accented syllable (**der Soldat, der Student**) are declined as follows:

*Singular*

| | | | |
|---|---|---|---|
| Nom. | der Junge | der Name | der Soldat |
| Gen. | des Jungen | des Namens | des Soldaten |
| Dat. | dem Jungen | dem Namen | dem Soldaten |
| Acc. | den Jungen | den Namen | den Soldaten |

| | | |
|---|---|---|
| Nom. | der Student | der Herr |
| Gen. | des Studenten | des Herrn |
| Dat. | dem Studenten | dem Herrn |
| Acc. | den Studenten | den Herrn |

*Plural*

| | | | |
|---|---|---|---|
| Nom. | die Jungen | die Namen | die Soldaten |
| Gen. | der Jungen | der Namen | der Soldaten |
| Dat. | den Jungen | den Namen | den Soldaten |
| Acc. | die Jungen | die Namen | die Soldaten |

| | | |
|---|---|---|
| Nom. | die Studenten | die Herren |
| Gen. | der Studenten | der Herren |
| Dat. | den Studenten | den Herren |
| Acc. | die Studenten | die Herren |

2. Masculine nouns which add –ens in the genitive singular, like **Name** above, are in the minority.

3. Weak neuters regularly add –ens in the genitive singular:

| | *Singular* | *Plural* |
|---|---|---|
| Nom. | das Herz | die Herzen |
| Gen. | des Herzens | der Herzen |
| Dat. | dem Herzen | den Herzen |
| Acc. | das Herz | die Herzen |

### H. COMPOUND NOUNS

The gender and plural formation of a compound noun is determined by the last noun in the compound:

| | *Singular* | *Plural* |
|---|---|---|
| *schoolgirl* | das Schulmädchen | die Schulmädchen |
| *school for girls* | die Mädchenschule | die Mädchenschulen |

### I. HOMONYMS

Some nouns have more than one plural, or more than one gender, depending upon their meaning:

| | |
|---|---|
| das Wort | *word* |
| die Wörter | *words* (in the dictionary) |
| die Worte | *words* (in context) |
| die Bank | *bank or bench* |
| die Bänke | *benches* |
| die Banken | *banks* |

| | | | |
|---|---|---|---|
| das Schild | *sign* | der Schild | *shield* |
| die Schilder | *signs* | die Schilde | *shields* |

| | | | |
|---|---|---|---|
| das Band | *ribbon* | der Band | *volume* (of a book) |
| die Bänder | *ribbons* | die Bände | *volumes* |

| | |
|---|---|
| die Bande | *band* |
| die Banden | *bands* |

## XI. Pronouns: *ein-* AND *der-*WORDS AS PRONOUNS, FORMS OF PRONOUNS

### A. PERSONAL PRONOUNS

1. The gender and number of a pronoun depend upon the gender and number of the noun whose place it takes. The case of a pronoun depends upon its use in the sentence or clause in which it occurs:

<table>
<tr><td>[ nom. ]</td><td>[acc.]</td></tr>
<tr><td>**Das ist *der Polizist*.**</td><td>**Ich kenne *ihn* sehr gut.**</td></tr>
<tr><td>That is *the policeman*.</td><td>I know *him* very well.</td></tr>
</table>

[nom.]
**Er wohnt nebenan.**
*He* lives next door.

**Kennst du *diese Dame*?**    **Sie ist die Frau des Bürgermeisters.**
Do you know *this lady*?    *She* is the mayor's wife.

2. Forms of the personal pronouns:

### Singular

| Person | Nominative | Genitive | Dative | Accusative |
|---|---|---|---|---|
| 1st | ich | meiner | mir | mich |
| 2nd familiar | du | deiner | dir | dich |
| 2nd conventional | Sie | Ihrer | Ihnen | Sie |
| 3rd masculine | er | seiner | ihm | ihn |
| 3rd feminine | sie | ihrer | ihr | sie |
| 3rd neuter | es | seiner | ihm | es |

### Plural

| 1st | wir | unser | uns | uns |
|---|---|---|---|---|
| 2nd familiar | ihr | euer | euch | euch |
| 2nd conventional | Sie | Ihrer | Ihnen | Sie |
| 3rd | sie | ihrer | ihnen | sie |

3. The genitive forms are very rarely used. They have been replaced by other forms:

| Older Usage | Modern Usage |
|---|---|
| **Er erinnerte sich *meiner*.** | **Er erinnerte sich *an mich*.** |
| He remembered me. | He remembered me. |

4. Because inanimate objects in German have gender, the English word *it* may be **er, sie,** or **es** or any other case form of the pronouns:

| | |
|---|---|
| Ich suche *meinen Mantel*. | Hast du *ihn* gesehen? |
| I am looking for *my coat*. | Have you seen *it*? |
| Das ist *eine schöne Uhr*. | Wo hast du *sie* gekauft? |
| That is *a beautiful watch*. | Where did you buy *it*? |
| Ich kenne *das Buch* sehr gut. | Ich habe *es* schon zweimal |
| I know *the book* very well. | gelesen. |
| | I have read *it* twice. |

5. For use of the pronoun as object of a preposition see Appendix XIV, E.

6. For position of pronoun objects see Appendix IX, A, 4.

**B. *ein-* AND *der-*WORDS AS PRONOUNS**

1. When the limiting adjectives called **der**-*words* (see Appendix XII) are used as pronouns, they have the same ending they would have if the noun whose place they are taking were not omitted:

| | |
|---|---|
| *Dieser Wagen* gefällt mir sehr. | *Welcher* gefällt Ihnen am meisten? |
| I like *this car* very much. | Which do you like most? |
| *Dieses Auto* gefällt mir sehr. | *Welches* gefällt Ihnen am meisten? |
| I like *this car* very much. | Which do you like most? |

2. The possessive pronouns and **ein** and **kein** (**ein**-*words*) as pronouns have the same endings as **der**-*word* pronouns:

| | |
|---|---|
| *Dein Wagen* gefällt mir sehr. | *Seiner* gefällt mir gar nicht. |
| I like *your car* very much. | I do not like *his* at all. |
| *Dein Auto* gefällt mir sehr. | *Seines* (*Seins*) gefällt mir gar nicht. |
| I like *your car* very much. | I do not like *his* at all. |

**C. INDEFINITE PRONOUNS**

  1. Indefinite pronouns refer to indefinite persons and things:

    **Man darf das nicht tun.**
    *One* must not do that.

    **Niemand weiß, wer er ist.**
    *No one* knows who he is.

    **Er hat *nichts* gesagt.**
    He said *nothing*.

  2. The indefinite pronoun **man** is always in the nominative case. The oblique cases are **einem** and **einen**:

    **So *einem* antwortet man nicht.**
    One does not answer such a *one*.

    **Die Regierung soll *einen* in Ruhe lassen.**
    The government should leave *one* in peace.

  3. The personal pronoun **er** *cannot* be substituted for **man**:

    **Man soll doch wissen, was *man* tut.**
    *One* should know what *one* is doing.

**D. RELATIVE PRONOUNS**

  1. Relative pronouns refer back to previous nouns in a sentence. They introduce relative clauses:

    **Jedes Licht, *das* angezündet wird, beunruhigt ihn.**
    Every light *that* is ignited makes him uneasy.

  2. The gender and number of a relative pronoun depend upon its antecedent, but its case is determined by its use in the relative clause:

    **Jeder Gedanke, *der* ausgedrückt wird, beunruhigt ihn.**
    Every idea *that* is expressed makes him uneasy.

    **Jeder Gedanke, *den* man hat, beunruhigt ihn.**
    Every idea *that* one has makes him uneasy.

    **Die Männer, *denen* er hilft, sind seine besten Freunde.**
    The men *whom* he helps are his best friends.

3. In English the relative pronoun is often omitted. This is impossible in German:

**Der Mann, *den* ich kenne, hat schwarze Haare.**
The man I know has black hair.

**Die Frauen, *denen* wir immer helfen, sind unsere Tanten.**
The women we always help are our aunts.

4. Forms of the relative pronoun:

*Singular*

|  | *Masculine* | *Feminine* | *Neuter* |
|---|---|---|---|
| Nom. | der (welcher) | die (welche) | das (welches) |
| Gen. | dessen | deren | dessen |
| Dat. | dem (welchem) | der (welcher) | dem (welchem) |
| Acc. | den (welchen) | die (welche) | das (welches) |

*Plural*

| Nom. | die (welche) |
|---|---|
| Gen. | deren |
| Dat. | denen (welchen) |
| Acc. | die (welche) |

5. The **welcher**-*forms* are used less frequently than the **der**-*forms*. Both forms are used for persons or things:

**Kennen Sie den alten Mann, *der* (*welcher*) an der Ecke steht?**
Do you know the old man standing at the corner?

**Hast du einen Bleistift, mit *dem* (*welchem*) ich schreiben darf?**
Do you have a pencil I may write with?

6. For the use of pronominal compounds in relative clauses see Appendix XIV, E.

**E. DEMONSTRATIVE PRONOUNS**

1. Demonstrative or emphatic pronouns are identical in form to the **der** relative pronouns. They are used as substitutes for personal pronouns:

**Siehst du das Kind dort drüben?**    *Dem* **habe ich das Geld gegeben.**

Do you see the child over there?    I gave the money to *him*.

*Der* **hat es gemacht.**    *Dessen* **bin ich sicher.**

He did it.    Of *that* I am sure.

**Ich kenne jene Herren.**    *Denen* **will ich nichts geben.**

I know those gentlemen.    I won't give *them* anything.

2. A demonstrative can be distinguished from a relative pronoun by the word order:

**Schön sind diese Häuser,** *die* **von dem berühmten Architekten gebaut** *wurden.*

These houses *which* were built by the famous architect are beautiful.

**Schön sind diese Häuser.** *Die wurden* **von dem berühmten Architekten gebaut.**

These houses are beautiful. *They* were built by the famous architect.

3. **derjenige, desjenigen, demjenigen,** etc., correspond to the English emphatic forms *the one, those,* etc.:

**Derjenige, der das Haus gebaut hat, ist ein berühmter Architekt.**

*The one* who built the house is a famous architect.

**Diejenigen, die uns helfen, bekommen ein Stück Kuchen.**

*Those* who help us will get a piece of cake.

**F. INDEFINITE RELATIVE PRONOUNS**

1. Forms of the indefinite relative pronoun:

| | *Referring to People* | *Referring to Things* |
|---|---|---|
| Nom. | wer | was |
| | (*who, whoever, he who*) | (*that which, whatever, that*) |
| Gen. | wessen | wessen (*rarely used*) |
| Dat. | wem | (*lacking*) |
| Acc. | wen | was |

2. The indefinite relative pronoun **wer** refers to persons and is used when there is no antecedent:

> **Wer das weiß, ist klug.**
> *Whoever* knows that is clever.

> **Wer keine Briefe geschrieben hat, soll auch keine bekommen.**
> *He who* has written no letters shouldn't receive any either.

> **Wen Gott liebhat, den züchtigt er.**
> *Whom* God loves, him he chastises.

3. The pronoun **was** refers to things and is used without an antecedent or when the antecedent is an indefinite pronoun (**etwas, alles, nichts,** etc.):

> **Was er auch sagt, glauben Sie ihm nicht.**
> *Whatever* he says, don't believe him.

> **Er sagte nichts, was Sie interessieren würde.**
> He said nothing *that* would interest you.

4. **was** is also used when the entire main clause is the antecedent:

> **Er hat die Arbeit nicht gemacht, was der Mutter nicht gefiel.**
> He did not do the work, (a fact) *which* did not please his mother.

5. **was** is used after an indefinite superlative:

> **Das ist das Beste, was er tun kann.**
> That is the best *that* he can do.

#### G. INTERROGATIVE PRONOUNS

1. The forms of the interrogative pronouns are the same as the indefinite relative pronouns:

> **Wer hat das gesagt?**
> *Who* said that?

> **Wessen Mantel hängt in der Garderobe?**
> *Whose* coat is hanging in the closet?

> **Was haben Sie ihm gesagt?**
> *What* did you say to him?

2. The interrogative pronoun is also used in an indirect question:

**Ich weiß nicht, *wessen* Mantel in der Garderobe hängt.**
I do not know *whose* coat is hanging in the closet.

### H. REFLEXIVE PRONOUNS

1. Forms of the reflexive pronoun:

| | | | | | | |
|---|---|---|---|---|---|---|
| Dat. | mir | dir | sich | uns | euch | sich |
| Acc. | mich | dich | sich | uns | euch | sich |

2. The reflexive pronoun for the conventional form of *you* (**Sie**) is never capitalized (**sich**).

3. The reflexive refers back to the subject:

**Er hat *sich* einen Wagen gekauft.**
He bought *himself* a car.

4. See Appendix IV, E, 1, 2, 3 for reflexive verbs and the case of the reflexive pronoun.

### I. INTENSIFYING PRONOUN

1. The forms **selbst** and **selber** are intensifying pronouns and should not be confused with reflexives:

**Er hat die Arbeit *selber* gemacht.**
He did the work *himself*. (No one did it for him.)

**Er hat sich *selbst* rasiert.**
He shaved *himself*.

2. When **selbst** appears before the word it modifies, it means *even*:

**Selbst der Arzt hat das nicht gewußt.**
*Even* the doctor did not know that.

## XII. Adjectives: *ein-* AND *der-*WORDS, ADJECTIVE ENDINGS, ADJECTIVE NOUNS, CASES WITH ADJECTIVES

### A. LIMITING ADJECTIVES (EIN- AND DER-WORDS)

1. The following limiting adjectives whose inflexional endings

are identical to the endings of the indefinite article **ein** are sometimes called **ein**-*words:*

| kein | *no, not any* | unser | *our* |
|------|---------------|-------|-------|
| mein | *my* | euer | *your* |
| dein | *your* | ihr | *their* |
| sein | *his* | Ihr | *your* |
| ihr | *her* | | |

2. Those limiting adjectives whose inflexional endings are the
same as the endings of the definite article are called **der**-*words:*

| aller | *all* | jeder | *each, every* | solcher | *such* |
|-------|-------|-------|--------------|---------|--------|
| dieser | *this, these* | jener | *that, those* | welcher | *which* |
| | | mancher | *many a, some* | | |

3. The inflexional endings for both **ein**- and **der**-*words* are the
same except in the singular nominative masculine and neuter, and
in the accusative neuter, where the **ein**-*word* is uninflected:

### Singular

| | Masculine | Feminine | Neuter |
|------|-----------|----------|--------|
| Nom. | kein Mann | keine Frau | kein Kind |
| | dieser Mann | diese Frau | dieses Kind |
| Gen. | keines Mannes | keiner Frau | keines Kindes |
| | dieses Mannes | dieser Frau | dieses Kindes |
| Dat. | keinem Manne | keiner Frau | keinem Kinde |
| | diesem Manne | dieser Frau | diesem Kinde |
| Acc. | keinen Mann | keine Frau | kein Kind |
| | diesen Mann | diese Frau | dieses Kind |

### Plural

#### All Genders

| | |
|------|------|
| Nom. | keine Kinder |
| | diese Kinder |
| Gen. | keiner Kinder |
| | dieser Kinder |
| Dat. | keinen Kindern |
| | diesen Kindern |
| Acc. | keine Kinder |
| | diese Kinder |

**B. DESCRIPTIVE ADJECTIVES**

1. The descriptive adjectives (e.g., **alt, jung, geschlossen, ko-chend**, etc.) and the indefinite numeral adjectives (**andere, einige, etliche, mehrere, wenige, viele**), when they are used attributively (i.e., in front of the noun they modify), have the following inflexional endings:

*a.* When they are used without a limiting adjective or after an uninflected **ein**-*word*, they have the same endings as **der**-*words* except in the genitive masculine and neuter singular:

*Singular*

|       | *Masculine* | *Feminine* | *Neuter* |
|-------|-------------|------------|----------|
| Nom.  | kein guter Wein | frische Luft | kein kaltes Wasser |
|       | guter Wein  |            | kaltes Wasser |
| Gen.  | gut*en* Wein*es* | frischer Luft | kalt*en* Wassers |
| Dat.  | gutem Weine | frischer Luft | kaltem Wasser |
| Acc.  | guten Wein  | frische Luft | kein kaltes Wasser |
|       |             |            | kaltes Wasser |

*Plural*

*All Genders*

| Nom. | neue Gäste |
|------|-----------|
| Gen. | neuer Gäste |
| Dat. | neuen Gästen |
| Acc. | neue Gäste |

*b.* When used after an inflected limiting adjective, the descriptive adjective has an **–en** ending everywhere except in the nominative singular for all genders, and in the accusative singular before feminine and neuter nouns, where it has an **–e** ending:

*Singular*

|       | *Masculine* | *Feminine* | *Neuter* |
|-------|-------------|------------|----------|
| Nom.  |             | keine alte Frau |          |
|       | dieser gute Mann | diese alte Frau | dieses kleine Kind |
| Gen.  | keines guten Mannes | keiner alten Frau | keines kleinen Kindes |
|       | dieses guten Mannes | dieser alten Frau | dieses kleinen Kindes |

| Dat. | keinem guten Manne | keiner alten Frau | keinem kleinen Kinde |
|------|--------------------|--------------------|----------------------|
|      | diesem guten Manne | dieser alten Frau  | diesem kleinen Kinde |
| Acc. | keinen guten Mann  | keine alte Frau    |                      |
|      | diesen guten Mann  | diese alte Frau    | dieses kleine Kind   |

### *Plural*

#### All Genders

| Nom. | keine neuen Gäste |
|------|-------------------|
|      | diese neuen Gäste |
| Gen. | keiner neuen Gäste |
|      | dieser neuen Gäste |
| Dat. | keinen neuen Gästen |
|      | diesen neuen Gästen |
| Acc. | keine neuen Gäste |
|      | diese neuen Gäste |

*c.* All descriptive adjectives belonging to the same noun phrase take the same ending:

**Ein stummer, alter General irrt herum.**
A silent, old general is wandering about.

**Viele neue Gäste treffen ein.**
Many new guests are arriving.

*d.* Predicate adjectives and adjectives following the noun they modify are not inflected:

**Der Schriftsteller ist *exzentrisch*.**
**Die Pastorin wird *alt*.**
**Das Wetter bleibt *schön* und *kühl*.**
**Die Gesichter, *alt* und *grau*, sieht man kaum.**

2. Descriptive adjectives used as nouns retain their adjective endings:

**Hier gibt es gastrisch *Leidende*.**
There are people suffering from gastric disorders here.

**Dann und wann stirbt jemand von den *Schweren*.**
Now and then one of the seriously ill patients dies.

Hier halten sich *Nervöse* aller Art auf.
Nervous people of all kinds stay here.

**Der Portier geleitet die Abreisenden zum Wagen.**
The doorman conducts the departing guests to the car.

3. Adjective nouns are neuter when used after the indefinite pronouns **etwas, nichts, viel,** and **alles:**

**Wir haben von etwas *Neuem* gehört.**
We heard about something new.

**Das bedeutet nichts *Gutes*.**
That doesn't mean anything good.

**Viel *Altes* ist in diesem Haus zu sehen.**
Much that is old can be seen in this house.

**Ich liebe alles *Schöne*.**
I love everything beautiful.

4. Geographical names used as adjectives always end in –er regardless of the gender, number, or case of the noun they modify:

**Ich habe den *Kölner* Dom gesehen.**
I have seen the cathedral at Cologne.

**Die *Frankfurter* Würstchen schmecken sehr gut.**
The frankfurters taste very good.

C. ADJECTIVES GOVERNING CASE

Certain descriptive adjectives, when used as predicate adjectives, require that an accompanying noun or pronoun be in either the dative or genitive case.

*a.* Adjectives requiring the dative case:

| | |
|---|---|
| *ähnlich* | **Er ist seinem Vater ähnlich.** |
| | He's like his father. |
| *angenehm* | **Das ist mir sehr angenehm.** |
| | I find that very pleasant. |
| *bekannt* | **Er ist mir schon lange bekannt.** |
| | I've known him a long time. |

| | |
|---|---|
| *dankbar* | **Sie war dem alten Herrn dankbar.** |
| | She was grateful to the old gentleman. |
| *gleich* | **Er ist seinem Vater an Größe gleich.** |
| | He's the same size as his father. |
| *recht* | **Ist das dir recht?** |
| | Is that all right with you? |
| *schuldig* | **Sie sind mir zehn Mark schuldig.** |
| | You owe me ten marks. |
| *treu* | **Bist du mir treu geblieben?** |
| | Have you remained true to me? |
| *lieb* | **Alle Hunde waren ihm lieb.** |
| | He loved all dogs. |

*b.* Adjectives requiring the genitive case:

| | |
|---|---|
| *ansichtig* | **Er wurde des Mädchens ansichtig.** |
| | He saw the girl. |
| *bedürftig* | **Ich bin stiller Luft bedürftig.** |
| | I need quiet air. |
| *bewußt* | **Er ist sich seines Alters nicht bewußt.** |
| | He isn't aware of his age. |
| *fähig* | **Sie ist keines Gedankens fähig.** |
| | She isn't capable of a thought. |
| *froh* | **Sie ist ihrer neunzehn Kinder froh.** |
| | She is happy about her nineteen children. |
| *müde* | **Er ist des Lebens müde.** |
| | He is tired of living. |
| *satt* | **Ich bin deiner Dummheit satt.** |
| | I'm sick of your stupidity. |
| *sicher* | **Sie ist seiner Liebe nicht mehr sicher.** |
| | She is no longer certain of his love. |
| *verdächtig* | **Er ist des Verbrechens verdächtig.** |
| | He is suspected of the crime. |

*wert*      **Er ist nicht der Rede wert.**
            He is not worth talking about.

*würdig*    **Die Arbeit ist meiner nicht würdig.**
            The work is not worthy of me.

                        or

            The work is not up to my abilities.

## XIII. COMPARISON OF ADJECTIVES AND ADVERBS, EQUALITY AND DIFFERENCE

### A. COMPARISON OF ADJECTIVES

1. The positive degree of an adjective is characterized by the absence of a comparative or superlative ending on the adjective stem:

> **Es war ein *geräumige*r Garten dabei.**
> There was a *spacious* garden there.

> **Es war nicht die Glaskugel, sondern ein *kleine*r Gegenstand.**
> It was not the glass ball, but a *small* object.

> **Nun ist sie wieder *ruhig* geworden.**
> Now she has become *calm* again.

2. The comparative degree

   *a.* Unlike English, which may form the comparative degree of the adjective by adding a suffix (*older*) or by using the adverb *more* (*more interesting*), German can form the comparative *only* by adding the suffix –er to the stem (i.e., the positive form) of the adjective; the case ending is added to the comparative ending. The vowel of a monosyllabic stem is usually umlauted if possible:

> **Es war ein *geräumigere*r Garten dabei.**
> There was a *more spacious* garden there.

> **Es war nicht die Glaskugel, sondern ein *kleinere*r Gegenstand.**
> It was not the glass ball, but a *smaller* object.

> **Nun ist sie wieder *ruhiger* geworden.**
> Now she has become *calmer* again.

*b.* If the adjective stem ends in an unstressed **e** or **el**, then this **e** is dropped when the comparative suffix is added:

| | | | | | |
|---|---|---|---|---|---|
| **blöde** | **blöder** | **böse** | **böser** | **dunkel** | **dunkler** |
| idiotic | more idiotic | bad | worse | dark | darker |

*c.* The adverb **weniger** preceding an adjective in the positive degree expresses negative comparison:

**Sie ist *weniger schön.***
She is *less beautiful.*

**Es ist *weniger deutlich* geworden.**
It has become *less clear.*

*d.* When the adverb **immer** precedes an adjective in the comparative degree, it expresses gradual intensification. The meaning of such a phrase is *more and more* of whatever the adjective indicates:

**Sie wurde *immer schöner.***
She grew *more and more beautiful.*

**Die Glaskugel wird *immer heller.***
The glass ball is getting *brighter and brighter.*

**Ihre Verehrer wurden *immer alberner.***
Her admirers were becoming *more and more foolish.*

3. The superlative degree
   *a.* The superlative suffix for adjectives whose stressed syllable ends in **d, t, s, sch,** or **z,** is **–est.** The case ending is added to the superlative suffix:

**Sie ist die *hübscheste.***
She is the *prettiest* one.

**Ich bin der *älteste.***
I am the *oldest* (one).

**Er ist der *berühmteste* Drehorgelmann in der ganzen Stadt.**
He is the *most famous* organ-grinder in the whole city.

   *b.* The superlative ending is **–st** if the adjective stem does not end

in one of the above named consonants, or if the last syllable of
the stem is not stressed:

**Er ist der *kleinste*.**
He is the *smallest* (one).

**Meine Schwester war die *jüngste* von uns.**
My sister was the *youngest* one of us.

**Er war der *komischste* Mensch, den ich je gekannt habe.**
He was the *oddest* person I have ever known.

c. Superlative adjectives are always inflected for case, number,
and (in the singular) for gender. It is therefore impossible for
an adjective in the superlative degree to occur without a case
ending. Compare the following sentences:

| | |
|---|---|
| **Ich bin der alte.** | **Ich bin alt.** |
| I am the old one. | I am old. |
| **Ich bin der ältere.** | **Ich bin älter.** |
| I am the older one. | I am older. |
| **Ich bin der älteste.** | **Ich bin der älteste.** |
| I am the oldest one. | I am oldest. |

4. Irregular adjectives:

| Positive | Comparative | Superlative | Meaning |
|---|---|---|---|
| groß | größer | größt- | *large* |
| gut | besser | best- | *good* |
| hoch | höher | höchst- | *high* |
| nah | näher | nächst- | *near* |
| viel | mehr | meist- | *much* |
| wenig | minder (weniger) | mindest- (wenigst-) | *little* |

**B. COMPARISON OF ADVERBS**

1. Most German descriptive adjectives may function as adverbs.
An adverb is not inflected for number, gender, and case. Compare
the following sentences:

**Es war ein *leidlich* geräumiger Garten dabei.**
There was a *tolerably* spacious garden there.

**Es war ein leidlicher, geräumiger Garten dabei.**
There was a *tolerable*, spacious garden there.

2. Adverbs form their comparative degree in exactly the same way that adjectives do. The comparative suffix is –er, and the vowel of a monosyllabic stem is usually umlauted when possible:

**Es schien *heller* zu strahlen.**
It seemed to shine *more brightly*.

**Es befand sich acht Schritte *weiter* nach rechts.**
It was eight paces *further* to the right.

**Ich sah *schärfer* hin.**
I looked at it *more keenly*.

**Diesmal dauerte es *länger*.**
This time it took *longer*.

3. The superlative degree
  a. The superlative degree of an adverb is a phrase consisting of *am* plus the adverb stem with the suffix –(e)sten:

**Abends strahlt es *am hellsten*.**
It shines *most brightly* in the evening.

**Diesmal dauerte es *am längsten*.**
This time it lasted longest.

**Sie spricht *am liebsten* von ihren Kindern.**
She *likes best* to talk about her children.

**Am *weitesten* entfernt war der Bahnhof.**
*Furthest* away was the railroad station.

  b. A few adverbs may occur as single, uninflected words. They are few in number and do not imply comparison with anything in particular:

**ein höchst interessantes Buch**
a *most* interesting book

**eine *äußerst* ungewöhnliche Erscheinung**
an *extremely* unusual phenomenon

*möglichst* viel
*as* much *as possible*

c. The ending **–ens** may be added to a superlative to form an adverbial genitive. The meaning of such forms is generally equivalent to *in the –est case, at the –est:*

**Es kommt *höchstens* auf dem Balkan vor.**
*At most* it will occur in the Balkans.

**Kommen Sie *spätestens* um fünf vorbei.**
Come over at five *at the latest.*

**Wir fahren *frühestens* morgen ab.**
We'll leave tomorrow *at the earliest.*

**Sie ist *wenigstens* fünf Jahre älter.**
She is *at least* five years older.

**Ich danke Ihnen *bestens.***
*Many* thanks.

4. Irregular Adverbs:

| Positive | Comparative | Superlative | Meaning |
|---|---|---|---|
| bald | eher | am ehesten | *soon* |
| gern | lieber | am liebsten | *gladly* |
| sehr | mehr | am meisten | *very* |
| wohl (gut) | besser | am besten | *well* |

**C. EQUALITY OF COMPARISON**

In German, equality is expressed by the formula **so . . . wie,** which is equivalent to English *as (so) . . . as:*

**Ich bin *so* alt *wie* meine Schwester.**
I am *as* old *as* my sister.

**Sein Vater ist nicht *so* albern *wie* er.**
His father is not *so* foolish *as* he.

**Die Glaskugel strahlt eben*so* hell *wie* die Sonne.**
The glass ball shines just *as* brightly *as* the sun.

**D. DIFFERENCE OF COMPARISON**

1. Difference is expressed by the formula **–er . . . als,** which is equivalent to English *more . . . than:*

**Sie ist ält*er* *als* der Offizier.**
She is *older than* the officer.

**Diese Stadt ist viel größ*er* *als* jene.**
This city is much *larger than* that one.

**Er besucht uns öft*er* *als* die anderen.**
He visits us *more* often *than* the others.

**Er war um einen halben Kopf klein*er* *als* Pupsik.**
He was *shorter than* Pupsik by half a head.

**Er schien traurig*er* zu sein *als* sonst.**
He seemed to be *sadder than* usual.

2. Negative difference is expressed by the adverb **weniger** before the adjective or adverb involved in the comparison:

**Pupsik war *weniger lebhaft als* meine Schwester.**
Pupsik was *less lively than* my sister.

**Es befindet sich *weniger nach rechts als* sonst.**
It is *less to the right than* usual.

3. A comparison of two qualities is expressed by **mehr** or **weniger** plus **als:**

**Sie ist *weniger hübsch als zierlich.***
She is *less pretty than delicate.*

**Er war *mehr* schläfrig *als* traurig.**
He was *more* sleepy *than* sad.

**Seine Rede war *mehr* tief *als* interessant.**
His speech was *more* profound *than* it was interesting.

**XIV. PREPOSITIONS, ADVERBIAL PREPOSITIONAL COMPOUNDS**

**A. PREPOSITIONS WITH THE ACCUSATIVE CASE**

1. The following prepositions always govern the accusative case:

| | |
|---|---|
| *bis* | **Wir fahren nur bis Frankfurt.** |
| | We are traveling only as far as Frankfurt. |
| | **Können Sie bis nächsten Januar warten?** |
| | Can you wait until next January? |
| *durch* | **Er eilte durch die Straßen.** |
| | He hurried through the streets. |
| | **Sie wurde durch einen Brief benachrichtigt.** |
| | She was informed by means of a letter. |
| *entlang* | **Er ging den Fluß entlang.** |
| | He walked along the river. |
| *für* | **Er hat es für seine Geliebte getan.** |
| | He did it for his sweetheart. |
| | **Interessieren Sie sich für Musik?** |
| | Are you interested in music? |
| *gegen* | **Gegen eine Tasse Tee habe ich nichts.** |
| | I have nothing against a cup of tea. |
| *ohne* | **Du darfst nicht ohne den Mantel hinausgehen.** |
| | You must not go out without your coat. |
| *um* | **Albert schlich um die Bildsäulen.** |
| | Albert crept around the statues. |
| | **Darf ich um Ihre Adresse bitten?** |
| | May I ask for your address? |
| | **Um zwei Uhr ging er nach Hause.** |
| | He went home at two o'clock. |
| *wider* | **Wider Erwarten hielt sie plötzlich inne.** |
| | Contrary to expectations, she suddenly stopped. |

2. Unlike the other prepositions listed above, **entlang** follows its object; **entlang** may also function as an adverb. Compare:

**Er ging *den Fluß entlang.***
He walked *along the river.*

**Er *ging* am Fluß *entlang.***
He *was walking along* beside the river.

3. **bis** is sometimes followed by a preposition. In such cases **bis** is an adverb; the case of the object of the prepositional phrase is determined by the preposition following **bis**:

**Wir gehen bis *an* die Elbe.**
We are going as far as the Elbe.

**Er ist bis *zur* Post gelaufen.**
He ran as far as the post office.

**B. PREPOSITIONS WITH THE DATIVE CASE**

1. The following prepositions always govern the dative case:

| | |
|---|---|
| *aus* | **Er blickte wie *aus ewigen Augen* vor sich hin.**<br>He gazed ahead as if out of eternal eyes.<br><br>**Kommen Sie auch *aus Deutschland?***<br>Are you *from Germany*, too? |
| *außer* | **Außer *ihr* war niemand da.**<br>There was no one there *but her*. |
| *bei* | **Bei Schulze bekommen Sie nur das Beste.**<br>At *Schulze's* you get only the best.<br><br>**Sie war *bei der Kirche* angelangt.**<br>She had arrived *at the church*. |
| *entgegen* | **Den Anweisungen *entgegen* stellte er die Statue ins Wohnzimmer.**<br>*Contrary to instructions* he placed the statue in the living room. |
| *gegenüber* | **Die Post steht *dem Bahnhof gegenüber*.**<br>The post office is *opposite the railroad station*. |
| *mit* | **Sie berührte seine Augen *mit ihren Lippen*.**<br>She touched his eyes *with her lips*. |
| *nach* | **Nach einigen Augenblicken ging er fort.**<br>*After a few moments* he went away.<br><br>**Dann fragte er *nach dem Preis*.**<br>Then he asked *about the price*. |

*Meiner Meinung nach* ist es eine ernste Sache.
*In my opinion* it is a serious matter.

*seit*  Er wohnt schon *seit vier Jahren* in dieser Stadt.
He has been living in this city *for four years.*

Ich kenne ihn *seit Montag.*
I have known him *since Monday.*

*von*  Er ist nicht weit *vom Hotel* entfernt.
He is not far *from the hotel.*

Es erfüllte ihn mit einer Art *von Rührung.*
It filled him with a kind *of emotion.*

Er wurde *von ihr* sofort erkannt.
He was recognized *by her* immediately.

*zu*  Wie kommen wir *zu der Kunsthandlung?*
How do we get *to the art dealer's?*

Haben Sie Zeit *zu einer Tasse* Tee?
Do you have time *for a cup of* tea?

2. The prepositions **entgegen, gegenüber,** and **nach** (when it means *according to*) may follow their objects.

#### C. PREPOSITIONS WITH THE DATIVE OR ACCUSATIVE CASE

1. Certain prepositions when denoting some spatial relationship with respect to their objects may govern either the dative or accusative case. They govern the dative case if this spatial relationship is fixed and unchanging. If this relationship is changing, however, then the preposition governs the accusative case. In each of the following pairs of sentences note how the spatial relationship of the subject of the sentence toward the object of the preposition determines the case which the preposition governs:

*an*  **Sie wartet *am Ausgang.*** (The spatial relationship of the subject to the **Ausgang** is fixed and unchanging. Thus **an** governs the dative.)
She is waiting *at the exit.*

> **Sie geht *an den Ausgang.*** (Here the spatial relationship
> of **Sie** to the **Ausgang** is *not* fixed, but changing. Thus
> **an** governs the accusative.)
> She is walking up *to the exit.*

*auf*        **Das Buch liegt auf *dem* Tisch.**
The book is lying on the table.

**Ich lege das Buch auf *den* Tisch.**
I am placing the book upon the table.

*hinter*    **Er wartete hinter *der* Statue.**
He waited behind the statue.

**Er schlich hinter *die* Statue.**
He crept behind the statue.

*in*        **Er stand *im* tiefsten Schatten.**
He stood in the deepest shadow.

**Er ging in *den* tiefsten Schatten.**
He walked into the deepest shadow.

*neben*    **Er steht neben sein*er* Geliebten.**
He is standing beside his sweetheart.

**Er tritt neben seine Geliebte.**
He steps (up to) beside his sweetheart.

*über*     **Grauer Nebel lag über *der* Stadt.**
Gray fog hung over the city.

**Grauer Nebel zog über *die* Stadt.**
Gray fog passed over the city.

*unter*    **Der Hund sitzt unter *dem* Tisch.**
The dog is sitting under the table.

**Der Hund läuft unter *den* Tisch.**
The dog is running under the table.

*vor*      **Sie stand regungslos vor *der* Statue.**
She stood motionless before the statue.

**Sie trat vor *die* Statue.**
She stepped before the statue.

*zwischen*  Er schläft zwischen *den* Häusern.
He is sleeping between the houses.

Er eilt zwischen *die* Häuser.
He is hurrying between the houses.

2. Where no spatial relationship is involved and the above rules cannot be applied, the prepositions **auf** and **über** tend to take the accusative:

*auf*  Auf *diese Weise* läßt es sich leicht machen.
*In this way* it can be done easily.

Wir fahren *auf drei Tage* in die Berge.
We are traveling to the mountains *for three days.*

Ich freue mich *auf Ihren Besuch.*
I am looking forward *to your visit.*

Sie wartet am Ausgang *auf ihn.*
She is waiting *for him* at the exit.

*über*  Heute *über eine Woche* besucht er uns wieder.
He will visit us again *a week from* today.

Das Wetter ist *über alles Erwarten* schön.
The weather is beautiful *beyond all expectations.*

Wir wollten *über die Sache* nachdenken.
We wanted to reflect *upon the matter.*

Haben Sie ihn *über die Kunst* sprechen hören?
Have you heard him talk *about art?*

3. The prepositions **an**, **in**, **unter**, and **vor**, however, take the dative case when no spatial relationship is involved:

*an*  Am zweiten *Januar* fing er an.
He began *on January second.*

Er ist immer noch *am Leben.*
He is still *alive.*

Arbeiten Sie immer noch *an Ihrem Buch?*
Are you still working *on your book?*

**Sie hatte ihn *an seiner Stimme* erkannt.**
She had recognized him *by his voice.*

**An Kenntnissen hat er nicht viel gewonnen.**
He did not gain much (*in*) *knowledge.*

**Sie hält *an ihrer Meinung* fest.**
She sticks *to her opinion.*

**Sie leidet *an einer schweren Krankheit.***
She is suffering *from a serious illness.*

**Wollt ihr auch *am Ausflug* teilnehmen?**
Do you want to take part *in the outing,* too?

**Man zweifelt *an unserem guten Willen.***
They have doubts *about our good will.*

*in*    **Er hat es *in seiner gewohnten Weise* getan.**
He did it *in his customary manner.*

**Wir kommen *in zwei Tagen* zurück.**
We shall come back *in two days.*

*unter*  **Unter den vielen Zuschauern war kein Arzt.**
There was no doctor *among the many spectators.*

**Unter solchen Umständen sagt man besser nichts.**
*Under such circumstances* it is better to say nothing.

*vor*    **Er ist *vor drei Tagen* hier gewesen.**
He was here *three days ago.*

**Sie hat Angst *vor dem Hund.***
She is afraid *of the dog.*

**Er bebte (zitterte) *vor Angst.***
He trembled *with fear.*

**Seine Augen strahlen *vor Freude.***
His eyes beam *with joy.*

**Er hat sie *vor der herannahenden Gefahr* geschützt.**
He protected her *from the approaching danger.*

4. In some expressions, **an** governs the accusative although there is no real spatial relationship involved:

**Ich denke *an die alten Zeiten.***
I'm thinking *about old times.*

**Erinnern Sie sich immer noch *an meinen Bruder?***
Do you still remember *my brother?*

***An wen* schreiben Sie?**
*To whom* are you writing?

**Ich glaube *an ihn.***
I believe *in him.*

### D. PREPOSITIONS WITH THE GENITIVE CASE

1. The more common prepositions governing the genitive case are as follows:

| | |
|---|---|
| (*an*)*statt* | *Statt (Anstatt) des Sohnes* ist der Vater gekommen.<br>The father came *instead of the son.* |
| *trotz* | *Trotz des schlechten Wetters* begeben wir uns nach München.<br>*In spite of the bad weather* we shall head for Munich. |
| *während* | Er ist *während der Ferien* zu Hause gewesen.<br>He was home *during the holidays.* |
| *wegen* | *Wegen einer schweren Erkrankung* muß er drei Wochen zu Bett liegen.<br>*On account of a serious illness* he has to stay in bed for three weeks. |
| *diesseits* | Unser Haus liegt *diesseits des Flusses.*<br>Our house is *on this side of the river.* |
| *jenseits* | *Jenseits der Berge* wohnen fremde Leute.<br>Strange people live *beyond the mountains.* |
| *innerhalb* | *Innerhalb der Stadtgrenzen* herrscht starker Verkehr.<br>*Inside the city limits* there is heavy traffic. |
| *außerhalb* | Es standen viele Menschen *außerhalb des Hauses.*<br>There were many people standing *outside the house.* |

2. In colloquial speech these prepositions frequently occur with dative objects. This is by no means uncommon even in formal style, e.g., **trotz dem Regen, wegen dem Wetter, statt Brot.**

### E. ADVERBIAL PREPOSITIONAL COMPOUNDS

1. Prepositional adverbs may be formed by compounding **da–** or **wo–** with a preposition. Such compounds replace prepositional phrases. They are used when referring to things rather than to persons. Compare:

| *Persons* | | *Things* | |
|---|---|---|---|
| **mit ihm** | with him | **damit** | with it |
| **mit ihr** | with her | **damit** | with them |
| **mit ihnen** | with them | | |

2. If the preposition begins with a consonant, the first part of the adverbial compound is **da–** or **wo–: damit, dabei, wonach, wozu,** etc. If the preposition begins with a vowel, then the first part of the compound is **dar–** or **wor–: darauf, darum, worunter, woraus,** etc.

3. The **da**-compounds are used in place of prepositions plus pronoun objects when the object of the preposition is a thing:

| | |
|---|---|
| **Ich fahre *mit dem Zug.*** | **Sie wartet *neben diesem Ausgang.*** |
| I am going by train. | She waits next to this exit. |
| **Ich fahre *mit ihm.*** | **Sie wartet *neben diesem.*** |
| **Ich fahre *damit.*** | **Sie wartet *daneben.*** |

4. The **wo**-compounds replace prepositional phrases whose objects are:

*a.* an interrogative pronoun referring to a thing:

**Über *was* schreibt er?**
What is he writing about?
**W*orüber* schreibt er?**

**Nach *was* fragt er?**
What is he inquiring after?
**W*onach* fragt er?**

Wissen Sie, *auf was* er wartet?
Do you know what he is waiting for?

Wissen Sie, *worauf* er wartet?

*b.* a relative pronoun not referring to a person:

Das Haus, *aus dem* er kam, liegt am Fluß.
The house he came out of is situated on the river.

Das Haus, *woraus* er kam, liegt am Fluß.

Dort ist der Tisch, *auf welchem* die Bilder lagen.
There is the table upon which the pictures lay.

Dort ist der Tisch, *worauf* die Bilder lagen.

5. da-compounds are also often used to link a verb with a follow-ing subordinate clause or infinitive phrase. A very few English verbs employ such links, e.g., "See *to it* that you get back on time." In German this usage is far more frequent:

Denken Sie *daran*, in die Berge zu fahren?
Are you thinking of traveling to the mountains?

Ich fragte *danach*, ob er zurückkommen würde.
I inquired as to whether he would return.

Ich freue mich *darüber*, daß du vorbeigekommen bist.
I'm glad you dropped in.

Wir erkannten ihn *daran*, daß er hinkte.
We recognized him by his limp.

## XV. THE COMMA, INFINITIVE PHRASES, PARTICIPIAL PHRASES, MISCELLANEOUS

### A. THE COMMA

1. In German all subordinate clauses are set off from the main clause by a comma:

*Als Guhl das bemerkte*, ritt er plötzlich weit weg.
When Guhl noticed that, he suddenly rode far away.

Guhl ritt plötzlich weit weg, *als er das bemerkte*.
Guhl suddenly rode far away when he noticed that.

**Der arme Kerl wußte nicht, *daß er mit einer höheren Gewalt stritt.***

The poor fellow didn't know that he was fighting with a higher power.

**Als *das Signal gegeben wurde*, ritt Guhl gegen die Jungfrau heran.**

When the signal was given, Guhl rode out to meet the Virgin.

**Der arme Kerl, *der nicht wußte, daß er mit einer höheren Gewalt stritt*, flog unversehens aus dem Sattel.**

The poor fellow, who didn't know that he was fighting with a higher power, suddenly flew out of the saddle.

2. Unless they are joined by **und** or **oder**, subordinate clauses are separated from one another by a comma:

**Sie schien die Angriffe mit Speer und Schild abzuwehren, *wobei sie mit großer Kunst das Pferd auf den Hinterfüßen sich drehen ließ, so daß sie stets dem Feinde das Angesicht zuwendete.***

She seemed to parry the thrusts with spear and shield by making her horse pivot on its hind legs with great skill so that she always had her face turned toward her opponent.

**Sie schnitt ihm die Glöcklein ab, *welche sie an ihrem Wehrgehänge befestigte, indessen die Fanfaren sie als Sieger begrüßten.***

She cut off his little bells, which she fastened to her sword belt, while the fanfares greeted her as victor.

**Du kannst es glauben, *daß ich deinen Vorschlag ernst nehme und daß ich ihn sicher verwirkliche.***

You can be sure that I take your suggestion seriously and that I shall certainly carry it out.

3. Finite verbs, nouns, and descriptive adjectives in a series are separated by a comma unless they are connected by **und** or **oder**:

**Er ritt plötzlich weit weg, kehrte dann um und rannte mit eingelegter Lanze auf sie ein.**

He suddenly rode far away, then turned around, and charged
at her with couched lance.

**Er hat sich Schuhe, Strümpfe, Hemden and Hosen ge-
kauft.**
He bought himself shoes, socks, shirts, and pants.

**Schöne, alte Bäume stehen vor dem Hause.**
Beautiful old trees are standing in front of the house.

4. Main clauses are separated by a comma:

*Die Jungfrau* sprang vom Pferd(e), und *Guhl* kehrte um
und lief weg.
The Virgin jumped from her horse, and Guhl turned around
and ran away.

5. Infinitive phrases introduced by **um . . . zu, anstatt . . . zu,**
and **ohne . . . zu,** or if **um . . . zu** (*in order to*) is implied, are
set off by commas:

**Er rannte auf sie ein,** *um sie über den Haufen zu stechen.*
He charged at her in order to unhorse her.

**Er kämpfte mit einer höheren Gewalt,** *ohne es zu wissen.*
He was fighting with a higher power without knowing it.

**Sie sprang vom Pferde,** *um zu Fuße mit ihm zu kämpfen.*
She jumped from her horse in order to fight with him on
foot.

*Anstatt gegen die Jungfrau zu reiten,* **verharrte er auf der
Stelle.**
Instead of riding against the Virgin, he remained rooted to the
spot.

but

**Sie schien die Angriffe mit Schild und Speer** *abzuwehren.*
She seemed to parry the thrusts with shield and spear.

**Ich befehle dir** *zu gehen.*
I order you to go.

6. Participial phrases are separated from the rest of the sentence by a comma:

**Er umkreiste sie mit immer größerer Schnelligkeit, *sie mit seinem Schilde zu blenden suchend.***

He circled around her with ever increasing rapidity, trying to blind her with his shield.

***Von der Pracht des Festes angelockt,* strömten viele Fremde herbei.**

Attracted by the splendor of the festival, many strangers gathered around.

**B. INFINITIVE PHRASES**

An infinitive phrase can only be formed when the subject of the phrase is the same as the subject of the main clause:

**Ich bin hierher gekommen, *um Ihnen zu helfen.***

I have come here to help you.

In the above example the one doing the helping is the **ich** of the main clause. If someone else were doing the helping, the infinitive phrase could not be formed; an entire clause would be used in its place:

**Ich bin hierher gekommen, *damit Sie mir helfen könnten.***

I have come here so that you might help me.

Compare:

***Ohne ein Wort zu sagen,* ging er hinein.**

Without saying a word, he went in.

***Ohne daß ich ein Wort sagte,* ging er hinein.**

Without *my* saying a word, he went in.

**Er wollte mir helfen.**

He wanted to help me.

**Er wollte, *daß ich ihm hülfe.***

He wanted *me* to help *him*.

**Er betrat das Zimmer, *ohne mich zu sehen.***

He entered the room without seeing me.

**Er betrat das Zimmer,** *ohne daß ich ihn sah.*
He entered the room without *my* seeing him.

1. **wann** is an interrogative adverb. It is used in both direct and indirect questions.

   *a.* direct:

> **W***ann* **wollen Sie uns besuchen?**
> **W***hen* do you want to visit us?

> **W***ann* **kommt der Zug an?**
> **W***hen* does the train arrive?

   *b.* indirect:

> **Er fragte ihn,** *wann* **er kommen wollte.**
> He asked him *when* he wanted to come.

> **Ich weiß nicht,** *wann* **der Zug ankommt.**
> I don't know *when* the train arrives.

2. The conjunction **wenn** is used as follows.

   *a.* In the present tense with the meaning *when*:

> **W***enn* **er kommt, werden wir zusammen dorthin gehen.**
> **W***hen* he comes, we shall go there together.

   *b.* In any tense with the meaning *whenever*:

> **W***enn* **es regnet, soll man zu Hause bleiben.**
> **W***hen*(*ever*) it rains, one should stay at home.

> **W***enn* **er ins Kino ging, brachte er immer seine Frau mit.**
> **W***hen*(*ever*) he went to the movies, he always brought his wife along.

   *c.* In conditional sentences with the meaning *if*:

> **W***enn* **er schneller gelaufen wäre, hätte er den Zug nicht verpaßt.**
> *If* he had run faster, he would not have missed the train.

**W***enn* **er kommt, lassen wir ihn nicht herein.**
*When* (*If*) he comes, we won't let him in.

3. **als** as a conjunction means *when*. It can only be used for past actions that are not habitual:

**A***ls* **er zehn Jahre alt wurde, bekam er einen neuen Wagen.**
*When* he became ten years old, he received a new wagon.

**A***ls* **der Zug ankam, war Hans immer noch zu Hause.**
*When* the train arrived, Hans was still at home.

### D. SONDERN AND ALLEIN

1. **sondern** is used instead of **aber** after a negative statement which the **sondern***-clause* corrects or contradicts. Compare:

**Er war ins Kino gegangen,** *aber* **entdeckte bald, daß er den Film schon gesehen hatte.**
He had gone to the movies, *but* he soon discovered that he had already seen the film.

**Er war nicht ins Kino gegangen,** *sondern* **auf die Bank.**
He hadn't gone to the movies, but to the bank.

2. **allein** may be an adverb meaning *alone,* or a conjunction meaning *however.* Compare:

**A***llein* **ging er nach Hause.**
He went home *alone.*

**A***llein* **er ging nach Hause.**
*However,* he went home.

**A***llein* **die Jungfrau sprengte ihm ebenso rüstig entgegen.**
*However,* the Virgin galloped just as vigorously toward him.

### E. ERST

**erst** is used in various idiomatic senses. Compare:

**E***rst* **kommt der Vater, dann die anderen.**
*First* comes Father, then the others.

**Es ist *erst* neun Uhr.**
It is *only* nine o'clock.

**Sie ist eben *erst* eingetreten.**
She has *only* just arrived.

**Er ist *erst um vier Uhr gekommen.***
He *didn't come until four o'clock.*

**F. DA**

da may be an adverb meaning *then* or *there,* or it may be a conjunction meaning *since (because).* Compare:

**Da kommt der Alte.**
*There* comes the old man.

**Da wußte er plötzlich, daß sein Vater gestorben war.**
*Then* he suddenly knew that his father had died.

**Da er schon wußte, daß sein Vater gestorben war, hielt er sich in Genf auf.**
*Since* he already knew that his father had died, he stayed in Geneva.

# *Addenda*

AUXILIARY VERBS **haben, sein,** AND **werden**

1. The Indicative Mood
   a. Present Tense

| | | |
|---|---|---|
| ich habe | ich bin | ich werde |
| du hast | du bist | du wirst |
| er hat | er ist | er wird |
| wir haben | wir sind | wir werden |
| ihr habt | ihr seid | ihr werdet |
| sie haben | sie sind | sie werden |

   b. Past Tense

| | | |
|---|---|---|
| ich hatte | ich war | ich wurde |
| du hattest | du warst | du wurdest |
| er hatte | er war | er wurde |
| wir hatten | wir waren | wir wurden |
| ihr hattet | ihr wart | ihr wurdet |
| sie hatten | sie waren | sie wurden |

### c.  Present Perfect

| | | |
|---|---|---|
| ich habe gehabt | ich bin gewesen | ich bin geworden |
| du hast gehabt | du bist gewesen | du bist geworden |
| er hat gehabt | er ist gewesen | er ist geworden |
| wir haben gehabt | wir sind gewesen | wir sind geworden |
| ihr habt gehabt | ihr seid gewesen | ihr seid geworden |
| sie haben gehabt | sie sind gewesen | sie sind geworden |

### d.  Past Perfect

| | | |
|---|---|---|
| ich hatte gehabt | ich war gewesen | ich war geworden |
| du hattest gehabt | du warst gewesen | du warst geworden |
| er hatte gehabt | er war gewesen | er war geworden |
| wir hatten gehabt | wir waren gewesen | wir waren geworden |
| ihr hattet gehabt | ihr wart gewesen | ihr wart geworden |
| sie hatten gehabt | sie waren gewesen | sie waren geworden |

### e.  Future

| | | |
|---|---|---|
| ich werde haben | ich werde sein | ich werde werden |
| du wirst haben | du wirst sein | du wirst werden |
| er wird haben | er wird sein | er wird werden |
| wir werden haben | wir werden sein | wir werden werden |
| ihr werdet haben | ihr werdet sein | ihr werdet werden |
| sie werden haben | sie werden sein | sie werden werden |

### f.  Future Perfect

| | | |
|---|---|---|
| ich werde gehabt haben | ich werde gewesen sein | ich werde geworden sein |
| du wirst gehabt haben | du wirst gewesen sein | du wirst geworden sein |
| er wird gehabt haben | er wird gewesen sein | er wird geworden sein |
| wir werden gehabt haben | wir werden gewesen sein | wir werden geworden sein |
| ihr werdet gehabt haben | ihr werdet gewesen sein | ihr werdet geworden sein |
| sie werden gehabt haben | sie werden gewesen sein | sie werden geworden sein |

**2.**  The Subjunctive Mood
### a.  Present I

| | | |
|---|---|---|
| ich habe | ich sei | ich werde |
| du habest | du seiest | du werdest |
| er habe | er sei | er werde |

| wir haben | wir seien | wir werden |
| ihr habet | ihr seiet | ihr werdet |
| sie haben | sie seien | sie werden |

### b. Present II

| ich hätte | ich wäre | ich würde |
| du hättest | du wärest | du würdest |
| er hätte | er wäre | er würde |
| wir hätten | wir wären | wir würden |
| ihr hättet | ihr wäret | ihr würdet |
| sie hätten | sie wären | sie würden |

### c. Past I

| ich habe gehabt | ich sei gewesen | ich sei geworden |
| du habest gehabt | du seiest gewesen | du seiest geworden |
| er habe gehabt | er sei gewesen | er sei geworden |
| wir haben gehabt | wir seien gewesen | wir seien geworden |
| ihr habet gehabt | ihr seiet gewesen | ihr seiet geworden |
| sie haben gehabt | sie seien gewesen | sie seien geworden |

### d. Past II

| ich hätte gehabt | ich wäre gewesen | ich wäre geworden |
| du hättest gehabt | du wärest gewesen | du wärest geworden |
| er hätte gehabt | er wäre gewesen | er wäre geworden |
| wir hätten gehabt | wir wären gewesen | wir wären geworden |
| ihr hättet gehabt | ihr wäret gewesen | ihr wäret geworden |
| sie hätten gehabt | sie wären gewesen | sie wären geworden |

### e. Future I

| ich werde haben | ich werde sein | ich werde werden |
| du werdest haben | du werdest sein | du werdest werden |
| er werde haben | er werde sein | er werde werden |
| wir werden haben | wir werden sein | wir werden werden |
| ihr werdet haben | ihr werdet sein | ihr werdet werden |
| sie werden haben | sie werden sein | sie werden werden |

### f. Future II

| | | |
|---|---|---|
| ich würde haben | ich würde sein | ich würde werden |
| du würdest haben | du würdest sein | du würdest werden |
| er würde haben | er würde sein | er würde werden |
| wir würden haben | wir würden sein | wir würden werden |
| ihr würdet haben | ihr würdet sein | ihr würdet werden |
| sie würden haben | sie würden sein | sie würden werden |

### g. Future Perfect I

| | | |
|---|---|---|
| ich werde gehabt haben | ich werde gewesen sein | ich werde geworden sein |
| du werdest gehabt haben | du werdest gewesen sein | du werdest geworden sein |
| er werde gehabt haben | er werde gewesen sein | er werde geworden sein |
| wir werden gehabt haben | wir werden gewesen sein | wir werden geworden sein |
| ihr werdet gehabt haben | ihr werdet gewesen sein | ihr werdet geworden sein |
| sie werden gehabt haben | sie werden gewesen sein | sie werden geworden sein |

### h. Future Perfect II

| | | |
|---|---|---|
| ich würde gehabt haben | ich würde gewesen sein | ich würde geworden sein |
| du würdest gehabt haben | du würdest gewesen sein | du würdest geworden sein |
| er würde gehabt haben | er würde gewesen sein | er würde geworden sein |
| wir würden gehabt haben | wir würden gewesen sein | wir würden geworden sein |
| ihr würdet gehabt haben | ihr würdet gewesen sein | ihr würdet geworden sein |
| sie würden gehabt haben | sie würden gewesen sein | sie würden geworden sein |

**3.** The Imperative Mood

| | | |
|---|---|---|
| habe | sei | werde |
| habt | seid | werdet |
| haben Sie | seien Sie | werden Sie |

**B.** SEPARABLE VERBS

**1.** The Indicative Mood
  a. Present Tense

| | |
|---|---|
| ich fange an | ich komme an |
| du fängst an | du kommst an |
| er fängt an | er kommt an |

wir fangen an
ihr fangt an
sie fangen an

wir kommen an
ihr kommt an
sie kommen an

### b. Past Tense

ich fing an
du fingst an
er fing an

wir fingen an
ihr fingt an
sie fingen an

ich kam an
du kamst an
er kam an

wir kamen an
ihr kamt an
sie kamen an

### c. Present Perfect

ich habe angefangen
du hast angefangen
er hat angefangen

wir haben angefangen
ihr habt angefangen
sie haben angefangen

ich bin angekommen
du bist angekommen
er ist angekommen

wir sind angekommen
ihr seid angekommen
sie sind angekommen

### d. Past Perfect

ich hatte angefangen
du hattest angefangen
er hatte angefangen

wir hatten angefangen
ihr hattet angefangen
sie hatten angefangen

ich war angekommen
du warst angekommen
er war angekommen

wir waren angekommen
ihr wart angekommen
sie waren angekommen

### e. Future Tense

ich werde anfangen
du wirst anfangen
er wird anfangen

wir werden anfangen
ihr werdet anfangen
sie werden anfangen

ich werde ankommen
du wirst ankommen
er wird ankommen

wir werden ankommen
ihr werdet ankommen
sie werden ankommen

### f. Future Perfect

ich werde angefangen haben
du wirst angefangen haben
er wird angefangen haben

wir werden angefangen haben
ihr werdet angefangen haben
sie werden angefangen haben

ich werde angekommen sein
du wirst angekommen sein
er wird angekommen sein

wir werden angekommen sein
ihr werdet angekommen sein
sie werden angekommen sein

**2.** The Imperative Mood

fange an
fangt an
fangen Sie an

komme an
kommt an
kommen Sie an

## C. THE PASSIVE VOICE

**1.** The Indicative Mood
   a. Present Tense

ich werde gesehen
du wirst gesehen
er wird gesehen

wir werden gesehen
ihr werdet gesehen
sie werden gesehen

   b. Past Tense

ich wurde gesehen
du wurdest gesehen
er wurde gesehen

wir wurden gesehen
ihr wurdet gesehen
sie wurden gesehen

   c. Present Perfect

ich bin gesehen worden
du bist gesehen worden
er ist gesehen worden

wir sind gesehen worden
ihr seid gesehen worden
sie sind gesehen worden

**2.** The Subjunctive Mood
   a. Present I

ich werde gesehen
du werdest gesehen
er werde gesehen

wir werden gesehen
ihr werdet gesehen
sie werden gesehen

   b. Present II

ich würde gesehen
du würdest gesehen
er würde gesehen

wir würden gesehen
ihr würdet gesehen
sie würden gesehen

   c. Past I

ich sei gesehen worden
du seiest gesehen worden
er sei gesehen worden

wir seien gesehen worden
ihr seiet gesehen worden
sie seien gesehen worden

#### d.  Past Perfect

ich war gesehen worden
du warst gesehen worden
er war gesehen worden

wir waren gesehen worden
ihr wart gesehen worden
sie waren gesehen worden

#### d.  Past II

ich wäre gesehen worden
du wärest gesehen worden
er wäre gesehen worden

wir wären gesehen worden
ihr wäret gesehen worden
sie wären gesehen worden

#### e.  Future Tense

ich werde gesehen werden
du wirst gesehen werden
er wird gesehen werden

wir werden gesehen werden
ihr werdet gesehen werden
sie werden gesehen werden

#### e.  Future I

ich werde gesehen werden
du werdest gesehen werden
er werde gesehen werden

wir werden gesehen werden
ihr werdet gesehen werden
sie werden gesehen werden

#### f.  Future II

ich würde gesehen werden
du würdest gesehen werden
er würde gesehen werden

wir würden gesehen werden
ihr würdet gesehen werden
sie würden gesehen werden

#### g.  Future Perfect

ich werde gesehen worden sein
du wirst gesehen worden sein
er wird gesehen worden sein

wir werden gesehen worden sein
ihr werdet gesehen worden sein
sie werden gesehen worden sein

#### g.  Future Perfect I

ich werde gesehen worden sein
du werdest gesehen worden sein
er werde gesehen worden sein

wir werden gesehen worden sein
ihr werdet gesehen worden sein
sie werden gesehen worden sein

#### h.  Future Perfect II

ich würde gesehen worden sein
du würdest gesehen worden sein
er würde gesehen worden sein

wir würden gesehen worden sein
ihr würdet gesehen worden sein
sie würden gesehen worden sein

# D. PRINCIPAL PARTS OF STRONG AND IRREGULAR VERBS

| Infinitive | Past Indicative | Perfect Indicative | Present Indicative | Present Subjunctive II | Imperative (2d Sing. Fam.) | Meaning |
|---|---|---|---|---|---|---|
| befehlen | befahl | hat befohlen | er befiehlt | beföhle | befiehl | to command |
| beginnen | begann | hat begonnen | er beginnt | begönne (or begänne) | beginn(e) | to begin |
| beißen | biß | hat gebissen | er beißt | bisse | beiß(e) | to bite |
| bergen | barg | hat geborgen | er birgt | bürge (or bärge) | birg | to hide |
| betrügen | betrog | hat betrogen | er betrügt | betröge | betrüg(e) | to deceive |
| bewegen[1] | bewog | hat bewogen | er bewegt | bewöge | beweg(e) | to induce |
| biegen | bog | hat gebogen | er biegt | böge | bieg(e) | to bend |
| bieten | bot | hat geboten | er bietet | böte | biet(e) | to offer |
| binden | band | hat gebunden | er bindet | bände | bind(e) | to bind |
| bitten | bat | hat gebeten | er bittet | bäte | bitte | to ask |
| blasen | blies | hat geblasen | er bläst | bliese | blas (blase) | to blow |
| bleiben | blieb | ist geblieben | er bleibt | bliebe | bleib(e) | to remain |
| braten | briet | hat gebraten | er brät | briete | brat(e) | to roast |
| brechen | brach | hat gebrochen | er bricht | bräche | brich | to break |
| dringen | drang | hat gedrungen | er dringt | dränge | dring(e) | to press |
| empfehlen | empfahl | hat empfohlen | er empfiehlt | empföhle (or empfähle) | empfiehl | to recommend |
| erlöschen | erlosch | ist erloschen | er erlischt | erlösche | erlisch | to go out, be extinguished (as a light) |
| erschrecken[2] | erschrak | ist erschrocken | er erschrickt | erschräke | erschrick | to be frightened |
| essen | aß | hat gegessen | er ißt | äße | iß | to eat |
| fahren | fuhr | ist gefahren | er fährt | führe | fahr(e) | to drive, ride, go |
| fallen | fiel | ist gefallen | er fällt | fiele | fall(e) | to fall |
| fangen | fing | hat gefangen | er fängt | finge | fang(e) | to catch |
| fechten | focht | hat gefochten | er ficht | föchte | ficht | to fight |
| finden | fand | hat gefunden | er findet | fände | find(e) | to find |
| flechten | flocht | hat geflochten | er flicht | flöchte | flicht | to braid |

[1] When **bewegen** means to move, it is weak.  [2] The transitive verb **erschrecken**, to frighten, is weak.

| Infinitive | Preterite | Subjunctive | Present | Perfect | Imperative | Meaning |
|---|---|---|---|---|---|---|
| fliegen | flog | flöge | er fliegt | ist geflogen | flieg(e) | to fly |
| fliehen | floh | flöhe | er flieht | ist geflohen | flieh(e) | to flee |
| fließen | floß | flösse | er fließt | ist geflossen | fließ(e) | to flow |
| fressen | fraß | fräße | er frißt | hat gefressen | friß | to eat (of animals) |
| frieren | fror | fröre | er friert | hat gefroren | frier(e) | to freeze |
| gebären | gebar | gebäre | sie gebiert | hat geboren | gebier | to bear, give birth to |
| geben | gab | gäbe | er gibt | hat gegeben | gib | to give |
| gehen | ging | ginge | er geht | ist gegangen | geh(e) | to go |
| gelingen | gelang | gelänge | es gelingt | ist gelungen | — | to succeed |
| gelten | galt | gölte (or gälte) | er gilt | hat gegolten | gilt | to be worth |
| genießen | genoß | genösse | er genießt | hat genossen | genieß(e) | to enjoy |
| geschehen | geschah | geschähe | es geschieht | ist geschehen | — | to happen |
| gewinnen | gewann | gewönne (or gewänne) | er gewinnt | hat gewonnen | gewinn(e) | to win |
| gießen | goß | gösse | er gießt | hat gegossen | gieß(e) | to pour |
| gleichen | glich | gliche | er gleicht | hat geglichen | gleich(e) | to be like, resemble |
| graben | grub | grübe | er gräbt | hat gegraben | grab(e) | to dig |
| greifen | griff | griffe | er greift | hat gegriffen | greif(e) | to seize |
| halten | hielt | hielte | er hält | hat gehalten | halte | to hold |
| hauen | hieb | hiebe | er haut | hat gehauen | hau(e) | to hew |
| heben | hob | höbe (or hübe) | er hebt | hat gehoben | heb(e) | to lift |
| heißen | hieß | hieße | er heißt | hat geheißen | heiß(e) | to be named, to order |
| helfen | half | hülfe (or hälfe) | er hilft | hat geholfen | hilf | to help |
| klingen | klang | klänge | er klingt | hat geklungen | kling(e) | to sound |
| kommen | kam | käme | er kommt | ist gekommen | komm(e) | to come |
| kriechen | kroch | kröche | er kriecht | ist gekrochen | kriech(e) | to creep |
| laden | lud (or ladete) | lüde (or ladete) | er ladet (or lädt) | hat geladen | lad(e) | to invite (usually **einladen**, to load) |
| lassen | ließ | ließe | er läßt | hat gelassen | laß | to let |
| laufen | lief | liefe | er läuft | ist gelaufen | lauf(e) | to run |
| leiden | litt | litte | er leidet | hat gelitten | leid(e) | to suffer |
| leihen | lieh | liehe | er leiht | hat geliehen | leih(e) | to lend |
| lesen | las | läse | er liest | hat gelesen | lies | to read |

| Infinitive | Past Indicative | Perfect Indicative | Present Indicative | Present Subjunctive II | Imperative (2d Sing. Fam.) | Meaning |
|---|---|---|---|---|---|---|
| liegen | lag | hat gelegen | er liegt | läge | lieg(e) | to lie |
| lügen | log | hat gelogen | er lügt | löge | lüg(e) | to (tell a) lie |
| meiden | mied | hat gemieden | er meidet | miede | meid(e) | to avoid |
| messen | maß | hat gemessen | er mißt | mäße | miß | to measure |
| nehmen | nahm | hat genommen | er nimmt | nähme | nimm | to take |
| pfeifen | pfiff | hat gepfiffen | er pfeift | pfiffe | pfeif(e) | to whistle |
| preisen | pries | hat gepriesen | er preist | priese | preis (preise) | to praise |
| quellen | quoll | ist gequollen | er quillt | quölle | quill | to gush forth |
| raten | riet | hat geraten | er rät | riete | rat(e) | to advise, guess |
| reiben | rieb | hat gerieben | er reibt | riebe | reib(e) | to rub |
| reißen | riß | hat gerissen | er reißt | risse | reiß(e) | to tear |
| riechen | roch | hat gerochen | er riecht | röche | riech(e) | to smell |
| rufen | rief | hat gerufen | er ruft | riefe | ruf(e) | to call |
| scheiden | schied | ist geschieden | er scheidet | schiede | scheid(e) | to part |
| scheinen | schien | hat geschienen | er scheint | schiene | schein(e) | to shine; seem |
| schieben | schob | hat geschoben | er schiebt | schöbe | schieb(e) | to shove |
| schießen | schoß | hat geschossen | er schießt | schösse | schieß(e) | to shoot |
| schlafen | schlief | hat geschlafen | er schläft | schliefe | schlaf(e) | to sleep |
| schlagen | schlug | hat geschlagen | er schlägt | schlüge | schlag(e) | to hit |
| schleichen | schlich | ist geschlichen | er schleicht | schliche | schleich(e) | to creep |
| schließen | schloß | hat geschlossen | er schließt | schlösse | schließ(e) | to close |
| schmelzen | schmolz | ist geschmolzen | er schmilzt | schmölze | schmilz | to melt |
| schneiden | schnitt | hat geschnitten | er schneidet | schnitte | schneid(e) | to cut |
| schreiben | schrieb | hat geschrieben | er schreibt | schriebe | schreib(e) | to write |
| schreien | schrie | hat geschrie(e)n | er schreit | schriee | schrei(e) | to cry |
| schreiten | schritt | ist geschritten | er schreitet | schritte | schreit(e) | to stride |
| schweigen | schwieg | hat geschwiegen | er schweigt | schwiege | schweig(e) | to be silent |
| schwellen | schwoll | ist geschwollen | er schwillt | schwölle | schwill | to swell |
| schwimmen | schwamm | ist geschwommen | er schwimmt | schwömme (or schwämme) | schwimm(e) | to swim |
| schwingen | schwang | hat geschwungen | er schwingt | schwänge | schwing(e) | to swing |
| schwören | schwur (or schwor) | hat geschworen | er schwört | schwüre | schwör(e) | to swear |

| Infinitive | Imperfect (er) | Perfect | Present (er) | Subjunctive | Imperative | Meaning |
|---|---|---|---|---|---|---|
| sehen | sah | hat gesehen | er sieht | sähe | sieh | to see |
| sein | war | ist gewesen | er ist | wäre | sei | to be |
| sieden | sott (or siedete) | hat gesotten | es siedet | sötte | sied(e) | to boil |
| sitzen | saß | hat gesessen | er sitzt | säße | sitz(e) | to sit |
| sprechen | sprach | hat gesprochen | er spricht | spräche | sprich | to speak |
| springen | sprang | ist gesprungen | er springt | spränge | spring(e) | to jump |
| stehen | stand | hat gestanden | er steht | stände (or stünde) | steh(e) | to stand |
| stehlen | stahl | hat gestohlen | er stiehlt | stöhle (or stähle) | stiehl | to steal |
| steigen | stieg | ist gestiegen | er steigt | stiege | steig(e) | to climb |
| sterben | starb | ist gestorben | er stirbt | stürbe | stirb | to die |
| stoßen | stieß | hat gestoßen | er stößt | stieße | stoß(e) | to push |
| streiten | stritt | hat gestritten | er streitet | stritte | streit(e) | to quarrel |
| tragen | trug | hat getragen | er trägt | trüge | trag(e) | to carry |
| treffen | traf | hat getroffen | er trifft | träfe | triff | to meet, hit |
| treiben | trieb | hat getrieben | er treibt | triebe | treib(e) | to drive |
| treten | trat | ist getreten | er tritt | träte | tritt | to step |
| trinken | trank | hat getrunken | er trinkt | tränke | trink(e) | to drink |
| tun | tat | hat getan | er tut | täte | tu(e) | to do |
| verderben[1] | verdarb | hat verdorben | er verdirbt | verdürbe | verdirb | to ruin, spoil |
| vergessen | vergaß | hat vergessen | er vergißt | vergäße | vergiß | to forget |
| verlieren | verlor | hat verloren | er verliert | verlöre | verlier(e) | to lose |
| verzeihen | verzieh | hat verziehen | er verzeiht | verziehe | verzeih(e) | to pardon |
| wachsen | wuchs | ist gewachsen | er wächst | wüchse | wachs(e) | to grow |
| waschen | wusch | hat gewaschen | er wäscht | wüsche | wasch(e) | to wash |
| weichen | wich | ist gewichen | er weicht | wiche | weich(e) | to recede |
| weisen | wies | hat gewiesen | er weist | wiese | weis(e) | to show |
| werben | warb | hat geworben | er wirbt | würbe | wirb | to woo |
| werden | wurde (or ward) | ist geworden | er wird | würde | werd(e) | to become |
| werfen | warf | hat geworfen | er wirft | würfe | wirf | to throw |
| wiegen | wog | hat gewiegt | er wiegt | wöge | wieg(e) | to weigh |
| winden | wand | hat gewunden | er windet | wände | wind(e) | to wind |
| ziehen[2] | zog | hat gezogen | er zieht | zöge | zieh(e) | to pull |
| zwingen | zwang | hat gezwungen | er zwingt | zwänge | zwing(e) | to force |

[1] As an intransitive verb, **verderben** is conjugated with **sein**.

[2] As an intransitive verb, **ziehen** (to move) is conjugated with **sein**.

## E.  IRREGULAR WEAK VERBS

| Infinitive | Past Indicative | Perfect Indicative | Present Indicative | Present Subjunctive II | Imperative | Meaning |
|---|---|---|---|---|---|---|
| brennen | brannte | gebrannt | er brennt | brennte | brenn(e) | to burn |
| bringen | brachte | gebracht | er bringt | brächte | bring(e) | to bring |
| denken | dachte | gedacht | er denkt | dächte | denk(e) | to think |
| kennen | kannte | gekannt | er kennt | kennte | kenn(e) | to know |
| nennen | nannte | genannt | er nennt | nennte | nenn(e) | to call, name |
| rennen | rannte | ist gerannt | er rennt | rennte | renn(e) | to run |
| senden | sandte (or sendete) | gesandt (or gesendet) | er sendet | sendete | send(e) | to send |
| wenden | wandte (or wendete) | gewandt (or gewendet) | er wendet | wendete | wend(e) | to turn |
| wissen | wußte | gewußt | er weiß | wüßte | wiss(e) | to know |

## F.  ADJECTIVES

**1.**  Definite Articles and **der**-words:

|  | Singular | | | Plural |
|---|---|---|---|---|
|  | Masc. | Fem. | Neut. | All Genders |
| Nom. | der | die | das | die |
| Gen. | des | der | des | der |
| Dat. | dem | der | dem | den |
| Acc. | den | die | das | die |
| Nom. | dieser | diese | dieses | diese |
| Gen. | dieses | dieser | dieses | dieser |
| Dat. | diesem | dieser | diesem | diesen |
| Acc. | diesen | diese | dieses | diese |

**2.**  Indefinite Articles and **ein**-words:

|  | Singular | | | Plural |
|---|---|---|---|---|
|  | Masc. | Fem. | Neut. | All Genders |
| Nom. | ein | eine | ein | keine |
| Gen. | eines | einer | eines | keiner |
| Dat. | einem | einer | einem | keinen |
| Acc. | einen | eine | ein | keine |

**3.** Descriptive Adjective Endings:

  a. With **der**–<u>words</u>.

| | Singular | | | Plural |
|---|---|---|---|---|
| | Masc. | Fem. | Neut. | All Genders |
| Nom. | der alte Mann | die alte Frau | das alte Haus | die alten Häuser |
| Gen. | des alten Mannes | der alten Frau | des alten Hauses | der alten Häuser |
| Dat. | dem alten Mann(e) | der alten Frau | dem alte Haus(e) | den alten Häusern |
| Acc. | den alten Mann | die alte Frau | das alte Haus | die alten Häuser |

  b. With **ein**–<u>words</u>.

| Nom. | ein alter Mann | eine alte Frau | ein altes Haus | keine alten Frauen |
|---|---|---|---|---|
| Gen. | eines alten Mannes | einer alten Frau | eines alten Hauses | keiner alten Frauen |
| Dat. | einem alten Mann(e) | einer alten Frau | einem alten Haus(e) | keinen alten Frauen |
| Acc. | einen alten Mann | eine alte Frau | ein altes Haus | keine alten Frauen |

  c. Without **ein**- or **der**–<u>words</u>.

| Nom. | alter Mann | alte Frau | altes Haus | alte Häuser |
|---|---|---|---|---|
| Gen. | alten Mannes | alter Frau | alten Hauses | alter Häuser |
| Dat. | altem Mann(e) | alter Frau | altem Haus(e) | alten Häusern |
| Acc. | alten Mann | alte Frau | altes Haus | alte Häuser |

## G. WEAK NOUNS

### Singular

| Nom. | der Herr | der Student | das Herz | der Name |
|---|---|---|---|---|
| Gen. | des Herrn | des Studenten | des Herzens | des Namens |
| Dat. | dem Herrn | dem Studenten | dem Herzen | dem Namen |
| Acc. | den Herrn | den Studenten | das Herz | den Namen |

### Plural

| Nom. | die Herren | die Studenten | die Herzen | die Namen |
|---|---|---|---|---|
| Gen. | der Herren | der Studenten | der Herzen | der Namen |
| Dat. | den Herren | den Studenten | den Herzen | den Namen |
| Acc. | die Herren | die Studenten | die Herzen | die Namen |

## H.   COORDINATING CONJUNCTIONS

| | | | | | |
|---|---|---|---|---|---|
| aber | but | denn | for (because) | sondern | but (on the contrary) |
| allein | however | oder | or | und | and |

## I.   SUBORDINATING CONJUNCTIONS

| | | | | |
|---|---|---|---|---|
| als | when | | ob | whether |
| als ob | as if | | obgleich | although |
| bevor | before | | seitdem | since |
| bis | until | | sobald | as soon as |
| da | since (because) | | solange | as long as |
| damit | so that | | sooft | as often as |
| daß | that | | während | while |
| ehe | before | | weil | because |
| indem | while | | wenn | if, when, whenever |
| nachdem | after | | | |

# German-English Vocabulary

Nouns are listed in the singular nominative. The genitive form is listed only for irregular nouns. The plural form is listed for all nouns. Separable verbs are listed thus: **ab-biegen.**

## A

**ab-biegen, o, o**   to turn

**der Abend, –e**   evening

**der Aberglaube, –ns, –n**   superstition

**ab-halten, ie, a, (ä)**   to hold, conduct

**ab-machen**   to agree upon

**ab-nehmen, a, o, (i)**   to take away, take off, remove

**ab-reisen**   to depart

**ab-reißen, i, i**   to tear asunder

**der Abschied, –e**   leave, farewell

**das Abschiedssouper, –s**   farewell supper

**ab-schließen, o, o**   to seal, lock up

**ab-schneiden, i, i**   to cut off

**ab-sondern**   to separate

**der Abt, ⸚e**   abbot

**der Abweg, –e**   wrong way

**ab-wehren**   to defend, ward off, parry

**ab-werfen, a, o, (i)**   to throw off

**ab-winken**   to make a gesture of refusal or rejection

**ab-zwingen, a, u**   to force out of

**die Ader, –n**   vein

**die Adresse, –n**   address

**ahnen**   to have a premonition

ähnlich   similar
allein   however, alone
allerdings   to be sure
alsbald   at once
ältlich   elderly
die Ameise, –n   ant
das Amt, ⸚er   office, position, bureau
der Amtsgehilfe, –n, –n   office assistant
an-bieten, o, o   to offer
an-binden, a, u   to tie on, to tether
an-blicken   to look at
ändern   to change
anders   different
an-ekeln   to disgust
die Anerkennung, –en   recognition, approval
   von fremder Anerkennung   from the approval of others
anfangs   at the beginning, at first
die Angekommenen   those who have arrived, the arrivals
die Angelegenheit, –en   task
das Angesicht, –e   face
angespannt   tense
angewiesen   assigned
der Angriff, –e   attack, lunge
die Angst, ⸚e   fear
an-hauchen   to blow breath on
an-hören   to listen to
der Ankömmling, –e   newcomer, stranger
an-kündigen   to announce
an-lächeln   to smile at
an-langen   to arrive
an-melden   to notify, announce, register

die Anmut   grace, charm
an-nehmen, a, o, (i)   to accept
an-reden   to address
sich an-sammeln   to gather, assemble
sich an-sehen, a, e, (ie)   to inspect, look at
an-starren   to stare at
an-stellen   to engage, employ
an-stoßen, ie, o (sein)   to knock, bump
das Antlitz, –e   face
der Antrieb, –e   impetus
die Anwendung, –en   application
die Anzahl   number
an-zeigen   to announce
an-zünden   to light, ignite
die Arbeiterin, –nen   (female) worker
der Arm, –e   arm
arm   poor
das Armeekommando, –s   army headquarters
die Armut   poverty
die Art, –en   manner, way, kind, sort
   aller Art   of all sorts
artig   politely
der Arzt, ⸚e   physician
auf-drängen   to force
   sich einem aufdrängen   to force itself upon one
auf-fordern   to call upon, urge
auf-halten, ie, a, (ä)   to hold up
sich auf-halten, ie, a, (ä)   to stay, reside
sich auf-lehnen   to rebel
aufrichtig   sincere
auf-schlagen, u, a, (ä)   to open

auf-schneiden, i, i  to cut open
auf-schrecken  to startle
auf-spannen  to stretch open
auf-sprengen  to force open
die Aufstellung, –en  setting up
auf-tragen, u, a, (ä)  to serve
der Auftritt, –e  event
auf-wachen (sein)  to awaken
auf-wachsen, u, a, (ä) (sein)  to grow up, develop
auf-weisen, ie, ie  to exhibit
der Augenblick, –e  moment
aus: es ist aus  it is all over
die Ausdehnung, –en  size, dimensions
ausdrücklich  expressly
der Ausgang, ⸚e  exit
ausgekocht  sterilized
ausgelassen  wild, unruly
ausgezeichnet  very well, very good
die Auskunft  information
  gab ihm Auskunft  told him
der Ausländer, –  foreigner
aus-marschieren  march out
aus-richten  to accomplish
der Ausruf, –e  outcry
aus-schneiden, i, i  to cut out
aus-sehen, a, e, (ie)  to look like
die Außenwelt, –en  the outside world
äußer-  exterior
äußerst  extremely
aus-statten  to equip
aus-strecken  to stretch out, extend
die Auster, –n  oyster
die Ausweispapiere  identity papers

aus-ziehen, o, o  to take off
die Axt, ⸚e  ax

**B**

baden  to bathe
  das Bad, ⸚er  bath
das Badezimmer, –  bathroom
die Bahnlaterne, –n  railroad lamp
die Bahre, –n  bier, stretcher
bangen (um)  to worry (about)
die Baracke, –n  barrack
bauen  to build
der Beamte, –n, –n  public official
bedauern  to regret
bedecken  to cover
bedeuten  to mean, signify
die Bedingung, –en  requirement
bedrohlich  threatening, critical
sich beeilen  to hurry
beenden  to finish
der Befehl, –e  order, command
befehlen, a, o, (ie)  to order
befestigen  to fasten
sich befinden, a, u  to be
befriedigen  to satisfy
sich begeben, a, e, (i)  to happen, come to pass
begegnen (sein)  to meet
begehen, i, a  to commit
begraben, u, a, (ä)  to bury, to inter
begründen  to establish
begrüßen  to greet
behalten, ie, a, (ä)  to keep
die Behandlung, –en  treatment
behausen  to quarter, house
beherbergen  to shelter, lodge
das Bein, –e  leg
das Beispiel, –e  example

bekanntlich   as is well known
beklagenswert   blameworthy, pitiable
bekommen, a, o   to receive
belohnen   to pay, be remunerative
bemerken   to notice
die Bemerkung, –en   remark
bemühen   to trouble, take pains
benachbart   neighboring, adjoining
benötigt   needed
beobachten   to observe
bereits   already
bereitwillig   willing, eager
der Beruf, –e   profession, calling, occupation
beruhigend   comforting
berühren   to touch
beschaffen   to procure
beschäftigt   busy
beschlagnahmen   to confiscate
beschließen, o, o   to decide
besetzen   to occupy
besorgen   to take care of
der Besteller, –   client, customer
die Bestimmung, –en   destiny
bestrafen   to punish
bestürzt   dismayed
betäubt   stunned
die Betäubung, –en   distraction
beten   to pray
   ein Betender   a person praying
betrachten   to look at, regard, inspect
betreten, a, e, (i)   to step into, enter
der Betrieb, –e   industrial plant

betrübt   sad
betrügen, o, o   to deceive
das Bett, –en   bed
beunruhigen   to make uneasy
beurteilen   to judge
die Bewegung, –en   movement
die Bewegungslosigkeit   motionlessness
bewußt   aware of
die Biene, –n   bee
bilden   to form
die Bilderstürmerei, –en   iconoclastic riot
die Bildsäule, –n   statue
bis   until
das Blatt, ̈er   leaf, piece, scrap
blenden   to blind, dazzle
der Blick, –e   gaze, glance, look, sight, the eyes
blicken   to glance, gaze
blöde   idiotic
blühen   to blossom, bloom
der Bogen, ̈   arc
das Bogentor, –e   arched gate
der Bootsführer, –   boatman
brauchen   to need, be required
breit   wide
brieflich   in a letter, epistolary
die Bronzenachahmung, –en   copy in bronze
der Brotgelehrte, –n, –n   professional scholar
das Brotstudium, –studien   study for the purpose of earning a livelihood
die Brotwissenschaft, –en   knowledge for earning a living
das Bruchstück, –e   fragment
die Brust   chest

die Bühne, –n  stage
die Burg, –en  stronghold, castle
der Bürgermeister, –  mayor
das Büro, –s  office

## C
der Chirurg, –en, –en  surgeon

## D
dahin-gehen, i, a  to leave, pass
damals  at that time, then
danken  to thank
dann und wann  now and then
daraufhin  for the purpose of
daraufhin . . . ob  to see
whether
die Darstellung, –en  depiction,
representation
das Dasein  existence
da-stehen, a, a  to stand there
dauern  to last
der Degen, –  sword
denkbar  imaginable
denken, dachte, gedacht  to think
das Denkmal, –er  monument
deshalb  therefore, for that reason
deutlich  clear
der Diebstahl, –e  theft
das Ding, –e  thing
der Dolch, –e  dagger
drängen  to force, compel
draußen  outside
drehen  to turn
sich drehen  to pivot
der Drehorgelmann  organ-
grinder
der Druck, –e  pressure
dunkelblau  dark blue
durchaus nicht  not at all

durch-ziehen, o, o (sein)  to pass
through
die Dürftigkeit, –en  insufficiency,
poverty
das Duschen  showering

## E
ebenfalls  likewise
ebenso  just as
edel  noble
der Edelstein, –e  gem
die Ehrenstelle, –n  position of
honor
ehrerbietig  deferential, respectful
eigen  own, peculiar to
zu eigen machen  to make one's
own
eigentlich  actually, really
eilen  to hurry
eilig  hurried, quick
der Einfall, –e  idea
ein-fallen, ie, a, (ä) (sein)  to
occur to one, think of
der Eingang, –e  entrance
eingelegt  couched
eingesponnen  spun up, entangled
einher-sprengen (sein)  to come
galloping along
einige  some
ein-kehren (sein)  to put up (at
an inn)
ein-laden, u, a, (ä)  to invite
die Einladung, –en  invitation
ein-rennen, rannte ein, ist eingerannt  to run or dash against
ein-richten  to plan, arrange
ein-treffen, a, o, (i) (sein)  to
arrive

ein-treten, a, e, (i) (sein)  to enter
der Eintritt, –e  entrance
einverstanden sein (mit)  to be in agreement (with)
ein-wickeln  to wrap up
einzig  only, sole
das einzige  the only thing
eiskalt  ice cold
das Elektrisieren  electric shock treatment
elend  miserable
empfangen, i, a, (ä)  to receive
empfehlen, a, o, (ie)  to recommend
sich empfehlen  to take leave
empfinden, a, u  to feel
die Empfindung, –en  sensation, perception
empor-blicken  to look up(ward)
endgültig  final
eng  narrow
entdecken  to discover
entfernen  to remove
entfernt  distant, away
die Entfernung, –en  distance
entfleischt  emaciated
entgegen-kommen, a, o (sein)  to come toward, to meet
entgegen-sprengen (sein)  to gallop toward
das Entkleiden  undressing
entlassen, ie, a, (ä)  to discharge, fire
entledigen  to take off, strip
sich entschließen, o, o  to decide
entschuldigen  to excuse
entsetzt  horrified
entsprechen, a, o, (i)  to correspond

entziehen, o, o  to withdraw, detract from
der Erbe, –n, –n  heir
die Erbitterung  animosity
erblicken  to see, catch sight of
der Erdboden, –  ground
erfahren, u, a, (ä)  to learn, find out
der Erfolg, –e  success
erforderlich  necessary, required
erfüllen  to fill, to fulfill
ergeben  devoted
erhaben  sublime
sich erheben, o, o  to get up
erhitzt  excited, inflamed
sich erinnern (an)  to remember
die Erinnerung, –en  memory, reminiscence
erkennen, erkannte, erkannt  to recognize
erklären  to declare, explain
der Erlaubnisschein, –e  permit
ermöglichen  to make possible
erneut  renewed
erreichen  to attain
die Errungenschaft, –en  achievement
das Ersatzbataillon, –e  replacement batallion
erscheinen, ie, ie (sein)  to appear
die Erscheinung, –en  image, appearance, phenomenon
erschießen, o, o  to shoot to death
erschrecken, a, o, (i)  to be frightened, startled
erst  first, only
erteilen  to give
ertragen, u, a, (ä)  to endure

erwähnen to mention
sich erwärmen to warm up
erwarten to expect
die Erweiterung, –en expansion
erwidern to reply
das Erz, –e bronze
erzen of bronze
erzeugen to produce
ewig eternal
exemplarisch exemplary
die Existenz, –en being, creature, livelihood
exzentrisch eccentric

### F

die Fabrik, –en factory
fähig capable
die Fahrt, –en journey
der Fall, –̈e case
fallen, ie, a, (ä) (sein) to fall, be killed in action
die Falte, –n wrinkle
fangen, i, a, (ä) to catch
fechten, o, o, (i) to fight, struggle
die Feder, –n pen
fehlen to be lacking
der Fehler, – error
fehl-schlagen, u, a, (ä) to fail, come to nothing
feiern to celebrate
der Feind, –e enemy, opponent
der Feldwebel, – sergeant
der Fels, –en, –en rock, cliff
der Fenstersims, –e windowsill
fest firm
die Festhalle, –n banquet hall
festlich festive, solemn
fest-nehmen, a, o, (i) to arrest

fest-stellen to determine
das Feuer, – fire
die Feuermauer, –n fire wall
die Firma, Firmen firm
der Fleischer, – butcher
der Fleiß diligence
fliegen, o, o (sein) to fly
der Flieger, – flier
fliehen, o, o (sein) to flee
der Flor bloom, blossoming
in Flor stehen to be in bloom, prosper
der Flügel, – grand piano
der Flur, –e hall, vestibule
folgen (sein) to follow
die Folterung, –en torture
die Forderung, –en demand
die Form, –en mold
forschen to search for, investigate
fort-bringen, brachte fort, fortgebracht to take away
der Fortgang, –̈e progress
Fortgang nehmen to continue
fort-gehen, i, a (sein) to leave
die Freiheit freedom
fremd strange
der Fremde, –n, –n stranger, foreigner
die Freude, –n joy
sich freuen to be glad
der Freund, –e friend
freundlich pleasant, friendly
der Frieden, – peace
fromm pious, devout
der Fronleichnamstag Corpus Christi Day
die Frucht, –̈e fruit
der Frühlingstag, –e spring day

**führen** to lead, carry, bear (a
 name)
**die Führerin, –nen** (female)
 leader
**der Führerschein, –e** driver's license
**furchtbar** terrible
**sich fürchten (vor)** to be afraid
 (of)
**die Fürstengunst** royal favor

### G

**die Gabe, –n** gift
**die Gage-Erhöhung, –en** (the-
 atrical) raise in salary
**der Gang, ⸚e** course
**ganz** entire
**die Garderobe, –n** wardrobe,
 dressing room
**die Garnison, –en** garrison
**der Gast, ⸚e** guest
**der Gasthof, ⸚e** inn
**das Gastrecht** hospitality
**gastrisch** gastric
**gebannt** confined (by magic),
 glued to the spot
**das Gebiet, –e** domain, area
**der Gebrauch, ⸚e** use
**die Gebühr, –en** fee
**der Gedächtnisschatz, ⸚e** treasure of the memory
**der Gedanke, –ns, –n** thought,
 idea
**der Gedankenschatz, ⸚e** wealth
 of ideas
**die Gefahr, –en** danger
**gefallen** killed in battle
**das Gefühl, –e** feeling
**der Gegenstand, ⸚e** object

**das Gegenteil, –e** the contrary
**gegenüber-stehen, a, a** to stand
 opposite
**gegenwärtig** at the present time
**der Gegner, –** opponent
**der Gehalt** substance, value
**geheizt** heated
**gehören** to belong to
**der Geist** intellect
**die Geisterfurcht** fear of ghosts
**geistig** mental, spiritual, intellec-
 tual
**geistlich** clerical
**gelangen zu (etwas)** to attain
**die Gelegenheit, –en** opportunity
**geleiten** to escort
**der Geliebte, –n, –n** beloved,
 lover, fiancé
**die Geliebte, –n** (female) sweetheart
**gelingen, a, u (sein)** to succeed
**geloben** to vow, pledge
**gemeinsam** in common, together
**gemessen** measured
**die Gemse, –n** chamois
**genau** exact, accurate
**die Genauigkeit** exactness
**der General, –e** general
**der Generalstreik, –s** general
 strike
**genügen** to satisfy, suffice
**der Genuß, ⸚sse** enjoyment
**gepudert** powdered
**gerade** at the present time, just
 now, straight
**geradeaus** straight ahead
**geringst-** slightest
**gerne** gladly
**das Geschäft, –e** business

das Geschenk, –e present
geschwind fast, swift
der Geselle, –n, –n fellow
das Gesicht, –er face
die Gestalt, –en shape, figure, form
gestehen, a, a to confess
gewahren to become aware
die Gewalt, –en power
gewaltig powerful
gewiß particular, certain
die Gewißheit certainty
gewöhnlich usual
gießen, o, o to pour
glänzen to shine
die Glasglocke, –n glass bell
die Glaskugel, –n glass ball
die Glasplatte, –n sheet of glass
glauben to believe
gleich same, like, similar to
die Gleichgültigkeit indifference
die Glocke, –n bell
glücklich propitious, happy
glücklicherweise fortunately
der Gotenkönig, –e King of the Goths
das Grabmal, –er tombstone
grauseiden of gray silk
die Grobheit coarseness
die Größe greatness, size
der Großherzog, –e grand duke
der Gummihandschuh, –e rubber glove
die Gummischürze, –n rubber apron, rubber gown
günstig favorable

**H**

das Haar, –e hair

der Hahn, –e rooster
der Halm, –e straw
halten, ie, a, (ä) to hold, keep
die Haltung, –en posture, bearing
der Hamster, – hamster
die Hand, –e hand
  gab ihm die Hand shook hands with him
der Handarbeiter, – manual laborer
hängen, i, a, (ä) to hang
der Hauch breath
der Haufen, – batch, mass, crowd
  über den Haufen stechen to unhorse
das Haupt, –er head
der Hauptverbandplatz, –e main dressing station, clearing station
heben, o, o to raise
heftig strong
heilig holy
heimlich secretly
die Heimlichkeit, –en secrecy
die Heimtücke malice
heischen to ask, demand
heißen, ie, ei to be named
der Held, –en, –en hero
hell bright
die Helligkeit brightness
her: so lange ist das her it was that long ago
heran-reiten, i, i (sein) to ride toward
heran-treten, a, e, (i) (sein) to approach
heran-wachsen, u, a, (ä) (sein) to grow up

herein-rufen, ie, u  to call in

der Herr, –n, –en  gentleman

die Herrschaften (*plural*)  ladies and gentlemen

herunter-kommen, a, o  to come down

hervor-treten, a, e, (i) (sein)  to appear

der Herzfehler, –  heart disease

hierselbst  here

hinauf-gehen, i, a (sein)  to go up

hindurch-schreiten, i, i (sein)  to walk through

hinein-fahren, u, a, (ä) (sein)  to stick (a hand) in

die Hinsicht, –en  view, respect, regard

hinter  behind

hinunter-stürzen  to gulp down hurriedly, fall down

hocken  to squat

hoffnungslos  hopeless

der Hofgarten, –  court garden

die Hofkirche, –n  court church

das Hotel, –s  hotel

hübsch  handsome

der Hut, –e  hat

## I

immerwährend  perpetual

infolge  as a result of

das Inhalieren  inhaling

das Injizieren  injecting

inne-halten, ie, a, (ä)  to stop

das Institut, –e  institute

der Internist, –en, –en  specialist for internal disorders

inzwischen  in the meantime

irren  to wander, ramble

die Isolierung  isolation

## J

der Jäger, –  rifleman, hunter

das Jahr, –e  year

das Jahrhundert, –e  century

jedoch  however

jedweder  any

die Jugend  youth

der Junge, –n, –n  boy

die Jungfrau, –en  virgin, maid

der Jüngling, –e  young man, youth

## K

der Kaiser, –  emperor

kaiserlich  imperial

die Kälte  cold

der Kampf, –e  battle, combat

der Kastanienbaum, –e  chestnut tree

der Kaufmann, –leute  merchant

kaum  hardly, scarcely

keineswegs  in no way

kennen, kannte, gekannt  to know (a person), be familiar with

die Kenntnis, –sse  knowledge

der Kerl, –e  fellow, chap

der Ketzermacher, –  intolerant person, "witch hunter"

die Kiste, –n  box, crate

klagen  to complain

klappern  to rattle

klar  clear

die Klarheit  clarity

die Kleiderschere, –n  clothing shears

die Kleidung, –en  clothing

kleinlich  petty
klingen, a, u  to sound
klopfen  to knock
das Kloster, ⸚  convent, monastery
der Klosterhof, ⸚e  monastery yard
der Knabe, –n, –n  boy
knien  to kneel
die Kohle, –n  coal
die Kompagnie, –n  company
die Königin, –nen  queen
konstruieren  to construct
der Kopf, ⸚e  head
das Kornhaus, ⸚er  granary
der Körper, –  body
körperlich  bodily, physical
kostspielig  expensive, costly
die Kraft, ⸚e  power
kranken (an)  to suffer (from)
kreisen  rotate
der Krieg, –e  war
die Kufe, –n  barrel
kühl  cool
künftig  in future
die Kunst, ⸚e  art
die Kunsthandlung, –en  art shop, art dealer's shop
der Künstler, –  artist
das Kunstwerk, –e  work of art
sich kümmern (um)  to concern oneself (with); to worry (about), to pay attention (to)
der Kursus, Kurse  course (of study)

### L

lächeln  to smile
der Laie, –n, –n  layman
das Landgut, ⸚er  country estate

langsam  slow
lassen, ie, a, (ä)  to let, allow
die Laufbahn, –en  career
lauter  pure, nothing but
lautlos  silent
die Lebensweise, –n  way of life
lebhaft  lively
der Lederschuh, –e  leather shoe
die Leere, –n  emptiness, void
die Lehre, –n  teaching, doctrine
der Lehrer, –  teacher
leicht  easy, mild
die Leichtigkeit  ease
leiden, i, i  to suffer
leidlich  tolerably
die Leistung, –en  accomplishment
leiten  to lead, conduct, direct
die Lektüre  reading
liebevoll  kindly
liebkosend  affectionate
der Liebreiz  charm
liegen, a, e  to lie
die Linke,  left hand
links  left, to the left
die Lippe, –n  lip
der Lohn, ⸚e  pay, remuneration
los(e)  loose
lungenkrank  tubercular, suffering from lung disease

### M

die Macht, ⸚e  power
mächtig  strong, powerful
die Magie  magic
die Magistratsrätin, –nen  wife of a municipal councilor
die Mahlzeit, –en  meal
die Manier, –en  manner, way

männlich  masculine
die Manschette, –n  cuff
der Mantel, ⸚  cape, coat
der Marstall, ⸚e  royal stables
das Massieren  massaging
der Maßstab, ⸚e  criterion
der Matrose, –n, –n  sailor
das Meer, –e  sea, ocean
mehrfach  multiple, manifold,
    several times
der Meister, –  master
der Mensch, –en, –en  person,
    human being
merken  to notice
merkwürdig  remarkable, note-
    worthy
das Mineral, –ien  mineral
die Minne  love
die Minute, –n  minute
mitan-ordnen  to order along
    (with)
mitleidig  sympathetic
der Mittag  noon, midday
die Mitte, –n  middle
mit-teilen  to tell, relate, inform,
    impart
mittler-  middle
das Mittelschiff, –e  central
    nave
die Möglichkeit, –en  possibility
der Monat, –e  month
der Mondschein  moonlight
morgen  tomorrow, on the next
    day
die Müdigkeit  weariness
die Mühe  effort
die Mühle, –n  mill
mühsam  laboriously, painstak-
    ingly

das Muster  example
mustern  to examine critically
das Murren  grumbling

## N

na  well
nach-blicken  to gaze after
die Nacht, ⸚e  night
nah  close, near
die Nähe  vicinity
die Nahrung, –en  nourishment
der Name, –ns, –n  name
die Narkosemaske, –n  mask for
    administering anaesthetic
der Narkotiseur, –e  anesthetist
das Nebenzimmer, –  adjoining
    room
nehmen, a, o, (i)  to take
der Neider, –  envier
neidisch  envious
neu  new
die Neuerung, –en  innovation
neugierig  curious
die Neuzeit, –en  modern times
das Nichts  nothingness, void
nicken  to nod
nieder-knien  to kneel down
nieder-legen  to lay down
niemand  no one
die Nonne, –n  nun
notwendig  necessary
nun  now
nützlich  useful

## O

das Oberhemd, –en  shirt
obwohl  although
offen  open, frank
offenbar  apparently

offen-stehen, a, a   to stand open
der Offizier, –e   officer
öffnen   to open
das Ohr, –en   ear
die Oper, –n   opera
der Operationsgehilfe, –n, –n   assistant at an operation
ordnen   to arrange
die Ordnung, –en   order
der Ort, –e   place, town
das Ozon   ozone

**P**

der Paralytiker, –n   paralytic
passieren (sein)   to happen
die Pastorin, –nen   pastor's wife
der Patient, –en, –en   patient
die Pension, –en   pension
die Pfeife, –n   pipe
das Pferd, –e   horse
pflegen   to be accustomed to
der Phthisiker, –   phthisic patient, person with tuberculosis
plötzlich   sudden
der Pförtner, –   gatekeeper
das Portal, –e   portal
das Portepee, –s   sword knot, frog
der Portier, –   doorman
die Post, –en   post office, mail
der Prediger, –   preacher
die Pression   pressure
die Privatpflegerin, –nen   private nurse
die Probe, –n   test
das Proviantdepot, –s   supply depot
die Prügel (*plural*)   beating

**Q**

die Quaternität, –en   quaternity

**R**

raffiniert   sly, cunning, sophisticated
ragen   to tower
der Rang, ⸚e   rank
rasch   quick
der Raub   robbery
die Räumlichkeiten (*plural*)   premises
raumlos   spaceless
recht   right
  recht haben   to be right
rechts   to the right
die Rede, –n   talk, speech
reden   to speak
der Regenmantel, ⸚   raincoat
die Regierung, –en   government
die Regung, –en   reaction, impulse
regungslos   motionless
das Reich, –e   realm
der Reichtum, ⸚er   riches, wealth
reinigen   to clean
das Reisebuch, ⸚er   guidebook
das Respektsverhältnis, –sse   respectful relationship
der Rest, –e   remainder
rettungslos   hopelessly
der Rheumatiker, –   person with rheumatism
rings um   all around
der Ritter, –   knight
der Rivale, –n, –n   rival
roh   raw
das Rosenbeet, –e   bed of roses
rotieren   to rotate

der Rücktritt, –e  resignation, abdication
rufen, ie, u  to call, exclaim
die Ruhe  peace, tranquility
ruhig  calm, peaceful, quiet
die Ruhmsucht  desire for fame
sich rühren  to move, to set in motion, stir oneself
die Rührung, –en  emotion
die Runde, –n  circle
rüstig  vigorous

### S

der Säbel, –  saber
die Sache, –n  thing
schädlich  harmful
schaffen  to convey, transport
　beiseite schaffen  to remove, do away with
scharf  sharp, keen
der Schatten, –  shadow
die Schau, –en  show, display
　zur Schau tragen  to display
das Schauspiel, –e  spectacle, play, drama
scheinen, ie, ie  to seem, appear
die Scheu  awe, shyness
schicken  to send
das Schicksal, –e  fate, destiny
schießen, o, o  to shoot
das Schild, –er  sign
der Schild, –e  shield
schildern  to describe
schimmern  to gleam, glimmer
das Schlachtfeld, –er  battlefield
die Schläfe, –n  temple
schläfrig  slow, lethargic, sleepy
der Schlafsaal, –säle  dormitory
der Schlag, ⸚e  pat, clap, blow

schlecht  bad
schleichen, i, i (sein)  to creep
schließen, o, o  to close, conclude, end
schließlich  finally
schlimm  bad
das Schloß, ⸚sser  lock
der Schlüssel, –  key
der Schmerz, –en  pain
schmerzen  to hurt
schmerzlich  sad, painful
der Schnauz, ⸚e  mustache
die Schnelligkeit, –en  rapidity
die Schonung, –en  preservation
　zu seiner Schonung  for his comfort
die Schöpfung, –en  creation
der Schreibtisch, –e  desk
schreien, ie, ie  to cry, shout, scream
der Schriftsteller, –  writer
der Schritt, –e  step
die Schublade, –n  drawer
schüchtern  timid, shy
der Schüler, –  pupil
die Schulform  discipline
das Schulsystem, –e  school system
die Schulter, –n  shoulder
der Schulvorsteher, –  school principal
der Schurke, –n, –n  rascal, scoundrel
schütteln  to shake
der Schutzmann, –leute  policeman
schwach  weak
schwärmen (für)  to be wild (about)

die **Schwärmerei** fanaticism
der **Schwarzwald** Black Forest
**schweben** float, soar
**schweigen, ie, ie** to be silent
das **Schweigen** silence
**schwer** serious, difficult
die **Schwermut** melancholy
das **Schwert, –er** sword
das **Schwitzen** sweating
die **Schwüle** heaviness, sultriness
die **Seele, –n** soul, spirit
**segeln** to sail
das **Seil, –e** rope, line
die **Seite, –n** side
der **Seitenflügel, –** side wing (of a building)
die **Seitentür, –en** side door
**selbst** even
der **Sessel, –** chair, armchair
**sich setzen** to sit down
**sichtbar** visible
**siegen** to win, be victorious
der **Sieger, –** victor
**silberfarbig** silver colored
das **Silberglöcklein, –** little silver bell
**silbern** silvery
der **Sinn, –e** sense
**sinnlich** material
**sinnlos** senseless
die **Sklavenseele, –n** servile disposition
**sofort** immediately
**sogar** even
**sogleich** right away, at once
der **Soldat, –en, –en** soldier
der **Soldatenrat, –̈e** soldiers' council
**solidarisch** solidarity

**sonderbar** strange
der **Sonnenschirm, –e** parasol
**sonst** otherwise, usual
**sorgfältig** careful
**sowohl . . . wie** as well as
der **Spaß, –̈e** joke, fun
das **Speisen** feasting
**sperren** to lock up
die **Spinne, –n** spider
die **Spitze, –n** point
die **Stadt, –̈e** city
der **Standort, –e** position
die **Stärke** strength
**starr** rigid
**starren** to stare
**statt-finden, a, u** to take place
die **Statue, –n** statue
das **Staunen** amazement, surprise
**stehen, a, a** to stand
**stehlen, a, o, (ie)** to steal
die **Steintreppe, –n** stone stairway, stone step
die **Stelle, –n** position, place, spot
**stellen** to place
**sich stellen** to take up a position, place oneself
die **Stellung, –en** position
**sterben, a, o, (i) (sein)** to die
**stets** always
der **Stiefel, –** boot
**stieren** to stare
die **Stille** quiet, calm
**still-legen** to close down
die **Stimme, –n** voice
die **Stirn, –en** forehead, brow
**stöhnen** to groan
der **Stolz** pride
**stopfen** to cram, stuff

stören   to disturb
der Stoß, –e   thrust
straff   tight
strahlen   to shine, radiate
stramm-stehen, a, a   to stand at
   attention
streiten, i, i   to quarrel, fight
streng   stern, strict
das Stück, –e   piece
das Stückwerk, –e   patchwork
der Studierplan, ⸚e   plan of study
die Stufe, –n   step, stair
stumm   mute
stürzen (sein)   to fall
stützen   to support
sich stützen   to support oneself
der Stützpunkt, –e   point of support

### T

der Tagelöhner, –   day laborer
täglich   daily
die Tat, –en   deed
tatsächlich   actually
die Taube, –n   dove
der Taucher, –   diver
teilhaftig werden   to partake of,
   share in
der Teufel, –   devil
die Tiefe, –n   depths
das Tor, –e   gate
tot   dead
der Träger, –   bearer
die Träne, –n   tear
der Transport, –e   shipment
traurig   sad
treffen, a, o, (i)   to hit
sich treffen   to happen, meet (one
   another)

treten, a, e, (i) (sein)   to step,
   walk
treiben, ie, ie   to drive
das Treiben   activity
der Truppenübungsplatz, ⸚e
   training area
das Turnen   exercise, gymnastics
der Turnierplatz, ⸚e   tilting field

### U

übel-nehmen, a, o, (i)   to take
   amiss
überdies   moreover
überhaupt   at all, generally
die Überlegung, –en   reflection
über-nehmen, a, o, (i)   to take
   over
überraschen   to surprise
überreden   to persuade
übrig   additional
übrigens   by the way, moreover
umarmen   to embrace
um-bringen, brachte um, umgebracht   to murder, kill
um-kehren   to turn around
umkreisen   to encircle, ride
   around in a circle
sich um-schauen   to look around
um-setzen   to turn
umsonst   in vain
sich um-wenden, wandte um, umgewandt   to turn around
unbehaglich   uncomfortable
unbeherrscht   uncontrolled
unbekannt   unknown
unbemerkt   unnoticed
unbeweglich   motionless
der Undank   ingratitude
ungefähr   approximately

ungeheuer huge
ungemein unusual, uncommon
ungestört undisturbed
unheildrohend ominous
unheimlich strange, uncanny
die Universalgeschichte, –n universal history
unnachahmlich incapable of imitation, unique, inimitable
unnütz useless
die Unrast restlessness
unterbrechen, a, o, (i) to interrupt
unterdessen in the meantime
unter-gehen, i, a to sink, perish
sich unterhalten, ie, a, (ä) to converse
die Unterhaltung, –en conversation
die Unternehmung, –en undertaking
untersagen to forbid
ununterbrochen uninterrupted
unversehens unexpectedly, suddenly
unversöhnlich irreconcilable
unverweilt immediately
unzweifelhaft beyond a doubt

**V**

das Vakuum, Vakua vacuum
der Verband, ⁼e bandage
verbarrikadieren to barricade
sich verbergen, a, o, (i) to hide
verbessern to improve
die Verbindung, –en union, tie
die Verborgenheit hiding
das Verdienst merit
verfolgen to follow, pursue

vergangen past
sich vergeben, a, e, (i) to forgive oneself
vergehen, i, a (sein) to pass
die Vergeltung recompense
vergessen, a, e, (i) to forget
vergittert barred
vergleichen, i, i to compare
vergnügen to please, delight
verhaften to arrest
verharren to remain
verhüten to forbid, prevent
verkneifen, i, i to stifle
verkniffen pinched, grim
verlangen to demand, require
verlassen, ie, a, (ä) to leave
sich verlassen auf, ie, a, (ä) to rely upon
der Verlauf, ⁼e course
verlaufen, ie, au, (äu) (sein) to pass, proceed
verlegen ill at ease, embarrassed
verlenken to lead astray
die Verlobung, –en engagement
die Vermählung, –en marriage
vermeiden, ie, ie to avoid
vermitteln to communicate
vermögen to be able
das Vermögen, – financial resources
verpassen to miss
verreist away on a trip, abroad
verrückt crazy
versagen to deny
versammeln to gather
die Versammlung, –en meeting
versäumen to miss
verschaffen to procure

verschieden   different, various
verschließen, o, o   to lock
verschwinden, a, u (sein)   to disappear
sich versehen, a, e, (ie)   to equip oneself
versorgt   careworn
die Versorgung, –en   appointment, post
der Versuch, –e   experiment
verteidigen   to defend
vertragen, u, a, (ä)   to endure, put up with
der Vertrauensmann, –leute   agent
vertreiben, ie, ie   to disperse, drive away
der Vertreter, –   deputy, representative
verwandeln   to change, convert
der Verwundete, –n, –n   wounded person
verzehren   to spend, waste, consume
das Verzweifeln   despairing
die Verzweiflung   despair
viel-   many
vielleicht   perhaps
vielmehr   rather
die Viertelstunde, –n   quarter of an hour
voll   full
vollkommen   complete, perfect
völlig   complete
voran-gehen, i, a (sein)   to walk in front of, to precede
vorbei   over, past
vor-fallen, ie, a, (ä) (sein)   to happen

vor-halten, ie, a, (ä)   to hold out
vorhanden   present, on hand
vorhanden sein   to exist, be present
vorig, –   former, previous
vor-kommen, a, o (sein)   to happen
vorlängst (*archaic*)   well in advance, long ago
sich vor-machen   to deceive oneself
vor-schlagen, u, a, (ä)   to prepare, to suggest
vor-stellen   to introduce
vor-täuschen   to give an illusion of
der Vorteil, –e   advantage
der Vorsatz, –e   resolution
die Vorstadt, –e   suburb
sich vor-wagen   to dare to go forward
sich vor-zeichnen   to prescribe for oneself
vorzeitig   early, premature

## W

wachen   to sit up, stay awake
wachsen, u, a, (ä) (sein)   to grow
wächsern   waxen
der Wagen, –   car, coach
wählen   to elect
die Wahrheit, –en   truth
wahrscheinlich   probable
das Wäldchen, –   small wooded area, grove
ward   old form of wurde
warten   to wait

der Wärter, – guard

die Waschschüssel, –n washbowl

weder . . . noch neither . . . nor

der Weg, –e way, path

weg-blicken to look away

weg-reiten, i, i (sein) to ride away

das Wehrgehänge sword belt

weichen, i, i (sein) to yield

sich weigern to refuse

die Weile, –n while, time

der Wein, –e wine

die Weise, –n way, manner

weisen (auf) to point (to)

die Weisung, –en instruction

weit far

die Weiterentwicklung, –en further development

sich wenden (an) to turn (to)

wenig little

der Werber, – wooer

werfen, a, o, (i) to throw

das Werkzeug, –e tool

wert worth, worthy

der Wert, –e value

das Wesen, – creature, being

die Wespe, –n wasp

wichtig important

widmen to-dedicate

wiederholen to repeat

wiederum again

die Wimper, –n eyelash

winken to make a sign, give a signal

winterkahl bare from the winter

das Wirken work

wirklich really

die Wissenschaft, –en knowledge

witzig-grob with coarse humor

wohl-gefallen, ie, a, (ä) to please well, delight

die Wolke, –n cloud

das Wort, –e and ⁼er word

die Wunde, –n wound

sich wundern to be surprised, amazed

der Wunsch, ⁼e wish

wünschen to wish

die Würde dignity

wüten to rage

## Z

das Zagen, – hesitation

zahllos countless

zärtlich tender

zeigen to show, indicate

die Zeit, –en time

zeitlos timeless

die Zeitung, –en newspaper

das Zeitungslob praise in the newspapers

zerbrechen, a, o, (i) to break to pieces, destroy

zerstören to destroy

die Zerstörung destruction

das Zeughaus, ⁼er arsenal

ziehen, o, o to draw, pull

ziehen, o, o (sein) to leave, depart

das Ziel, –e goal

ziellos aimless

ziemlich rather

zierlich decorous

das Zimmer, – room

der Zimmernachbar, –n person in the neighboring room

der Zipfel, – end, edge, tip

**zu-bringen, brachte zu, zugebracht** to spend (time)

**zucken** to quiver, twitch

**zugedacht** to have in store for

**zuerst** at first

**der Zufall, ⸚e** coincidence

**zu-fügen** to add

**zu-geben, a, e, (i)** to admit

**zu-gehen, i, a (sein)** to go on, get on, be

**zugleich** simultaneous

**die Zukunft** future

**zumute sein** to feel

**die Zungenspitze, –n** tip of the tongue

**zunichte machen** to ruin, destroy, frustrate

**zurecht-legen** to place in order, arrange

**zurück-holen** to bring back

**zusammen** together

**zusammengehäuft** gathered up

**zusammen-treffen, a, o, (i) (sein)** to meet

**der Zustand, ⸚e** condition

**zu-wenden, wandte zu, zugewandt** to turn toward

**der Zweck, –e** purpose

**die Zwecklosigkeit** purposelessness

# Index

Italicized letters and numbers refer to the Grammatical Appendix as follows: Roman numeral—lesson number, capital letter—lesson section, Arabic number—section paragraph, lowercase letter—section example.

adjectives, *XII*, 206
  comparison, *XIII*, *A*, 212
  descriptive, *XII*, *B*, 208
  difference of, *XIII*, *D*, 217
  endings, *XII*, *A*, 3, 207; *B*, 1, 208
  equality of, *XIII*, *C*, 216
  governing case, *XII*, *C*, 210 ff.
  limiting, *XII*, *A*, 206
  as nouns, *XII*, *B*, 2, 209 f.
  predicate adjective, *XII*, *B*, 1, *d*, 209
  as pronoun, *XI*, *B*, 201
adverbial prepositional compounds, *XIV*, *E*, 225

adverbs, *XIII*, *B*, 214 ff.
  comparison, *XIII*, *B*, 214
  difference of, *XIII*, *D*, 217
  equality of, *XIII*, *C*, 216
  intensifying, *I*, *G*, 148 ff.; *III*, *G*, 158; *V*, *C*, 167
  irregular, *XIII*, *A*, 4, 214; *B*, 4, 216
  order of adverbs in main clause, *IX*, *A*, 3, 183
articles, *X*, 190
  forms of definite and indefinite articles, *X*, *A*, *B*, *C*, *D*, 190 ff.

cases, *X*, 190

267

cases (Cont.)
  accusative, *X, B,* 192
  dative, *X, C, 1,* 193 f.
  genitive, *X, D, 1,* 194
  nominative, *X, A, 1,* 190
  with nouns of measurement, *X,*
    *E,* 195 f.
commas, use of, *XV, A,* 226 ff.
conditional sentences, *VII, E,*
  174 ff.
conjunctions, *XV, C, D, F,* 270 ff.
  word order with coordinating
    conjunction, *IX, A, 5, f,*
    186 f.
  word order with subordinating
    conjunction, *IX, B,* 187 ff.

**da**-compounds, *XIV, E,* 225 f.
**derjenige,** *XI, E, 3,* 204
**der**-words, *XII, A,* 206 ff.
  as pronouns, *XI, B,* 201

**ein**-words, *XII, A,* 206 ff.
  as pronouns, *XI, B,* 201
extended modifiers, *IX, C,* 189 f.

imperative mood, *I, F,* 147 f.
  first and third persons, *VIII, D,*
    180
indirect discourse, *VIII, A,* 177 f.
infinitive phrases, *XV, A, 5,* 228;
  *XV, B,* 229
intensifying adverbs, *I, G,* 148 ff.;
  *III, G,* 158; *V, C,* 167
intensifying pronouns, *XI, I,* 206
interrogatives, *XI, G,* 205 f.
  word order with, *IX, A, 2, b,*
    182

**lassen,** *IV, D,* 163

modal auxiliaries, *IV,* 158
  forms, *IV, A,* 158 f.

  meanings, *IV, B,* 159 ff.
  with double infinitive, *IV, C,*
    163; *IX, B, 3,* 188

**nämlich,** *III, G,* 158
nouns, *X,* 190
  cases of, *X, A, B, C, D,* 190 ff.
  compound, *X, H,* 199
  infinitive as noun, *I, E,* 147
  of measurement, *X, E,* 195 f.
  plurals, *X, F,* 196 ff.
  weak nouns, *X, G,* 198 f.

participle:
  past participle as predicate ad-
    jective, *VI, B,* 169 f.
passive voice, *VI,* 168
  with objects, *VI, C,* 170
  formation of, *VI, A,* 168
  impersonal passive, *VI, D,* 170
  with modals, *VI, A, 6,* 169
  substitutes for, *VI, E,* 171
prepositions, *XIV,* 217
  with accusative, *XIV, A,* 217 ff.
  with dative, *XIV, B,* 219 f.
  with dative or accusative, *XIV,*
    *C,* 220 ff.
  with genitive, *XIV, D,* 224 f.
pronouns, *XI,* 200
  demonstrative, *XI, E,* 203 f.
  **ein-** and **der**-words as pronouns,
    *XI, B,* 201
  indefinite pronouns, *XI, C,* 202
  indefinite relative pronouns, *XI,*
    *F,* 204 f.
  intensifying pronouns, *XI, I,*
    206
  interrogative pronouns, *XI, G,*
    205 f.
  **man,** *XI, C, 2,* 202
  personal pronouns, *XI, A,* 200 f.
  reflexive pronouns, *IV, E,* 164;
    *XI, H,* 206

subjunctive, *VII*, 171; *VIII*, 177
  clauses with **als ob**, *VII*, G, 177
  clauses of purpose, *VIII*, E, 180
  commands and requests, *VIII*,
    B, 179
  conditional sentences, *VII*, E,
    174 ff.
  indirect discourse, *VIII*, A,
    177 ff.
  indirect questions, *VIII*, C,
    179 f.
  future subjunctive, *VII*, C, 174
  future perfect subjunctive, *VII*,
    D, 174
  past subjunctive, *VII*, B, 173 f.
  present subjunctive, *VII*, A,
    171 ff.
  of strong verbs, *VII*, A, 5, 6, 7,
    173
  of weak verbs, *VII*, A, 2, 3, 4,
    172
  wishes, *VII*, F, 176; *VIII*, F,
    181
  word order of **wenn** clauses, *IX*,
    A, 2, 182

tenses of the indicative:
  present, *I*, C, D, 145 ff.
  past, *II*, A, B, 150 ff.
  present perfect, *II*, C, D,
    152 f.
  past perfect, *II*, E, F, 153 f.
  future, *III*, A, B, 154 f.
  future perfect, *III*, C, D, 155 f.

verbs:
  compound verbs, *V*, A, 165 f.
  double infinitives, *IV*, C, 163;
    *IX*, B, 3, 188
  **es gibt,** *V*, B, 3, 166 f.

impersonal use of, *V*, B, 166 f.
infinitive as noun, *I*, E, 147
irregular weak, *III*, E, 156 f.;
  *VII*, A, 3, 4, 172
**kennen,** *III*, F, 157
**lassen, sehen, hören,** *IV*, D,
  163 f.
modals, *IV*, A, B, 158 ff.
principal parts, *I*, B, 5, 144 f.
reflexive verbs, *IV*, E, 164; *XI*,
  H, 206
strong or irregular, *I*, B, 143 ff.
verb complements, *IX*, A, 5, d,
  186
weak or regular, *I*, A, 141 f.
**wissen,** *III*, F, 157

**wann, wenn, als,** *XV*, C, 230
**wenn** clauses, *IX*, A, 2, 182 f.
**wo**-compounds, *XIV*, E, 4
word order, *IX*, 181
  commands, *IX*, A, 2, 182 f.
  concessions, *IX*, A, 2, 182 f.
  dependent clauses, *IX*, B,
    187 ff.
  main clauses, *IX*, A, 181 ff.
  order of adverbs, *IX*, A, 3, 183
  position of infinitives, *IX*, A,
    5, 184 f.
  position of **nicht, nie,** *IX*, A,
    5, e, 186
  position of objects, *IX*, A, 4,
    183 f.
  position of finite verb, *IX*, A,
    1, 181 ff.; *IX*, B, 1, 187
  questions, *IX*, A, 2, 182 f.
  verb complements, *IX*, A, 5, d,
    186
  wishes, *VII*, F, 176; *IX*, A, 2,
    182 f.